Orthographe française

Nathalie Baccus

Orthographe française

Librio

Inédit

SOMMAIRE

Sommaire

- I -

Les règles d'usage

I. Les règles d'usage : accents

Accents

• **L'accent aigu** se met sur la lettre e pour noter le son fermé [e]. Il se retrouve à l'initiale, à l'intérieur ou en finale d'un mot.
  Ex. : *un été ; compléter.*

• **L'accent grave** se met sur la lettre e pour noter le son ouvert [ɛ]. On le trouve :

– devant un s final   Ex. : *un excès*

– devant une syllabe qui contient un e muet Ex. : *elle complète*

– devant un groupe de consonnes,
  si la seconde est -r ou -l   Ex. : *la fièvre ; le trèfle*

– sur les lettres e, a et u, pour distinguer certains mots de leurs homophones
  Ex. : *des (amis) / dès (que) ; la (fille) / là ; ou (bien) / où*

Remarque : Certains verbes peuvent changer leur accent aigu en accent grave, ou prendre un accent grave, à certains temps.

• **L'accent circonflexe** se met sur les lettres a, e, i, o et u. Il remplace très souvent un s disparu, que l'on retrouve parfois dans des mots de la même famille.
  Ex. : *un bâton* (s maintenu dans *une bastonnade*) ; *la fête* (*le festin, le festival, festif*) ; *le faîte* ; *la piqûre.*

L'accent circonflexe permet aussi de distinguer les homophones.
  Ex. : *un pécheur* (qui commet une faute) / *un pêcheur* (qui pêche le poisson).
      sur (au-dessus de) / *sûr* (certain).
      du (déterminant) / *dû* (participe passé de *devoir*).
      il finit (indicatif passé simple) / *qu'il finît* (subjonctif imparfait).

On le trouve :

– dans les verbes en *-AÎTRE* et *-OÎTRE*, dans le verbe *plaire* et ses composés, à la troisième personne du singulier de l'indicatif présent, et dans le verbe *croître*, à d'autres personnes.
  Ex. : *il naît ; il accroît ; il plaît ; je crûs...*

— aux première et deuxième personnes de l'indicatif passé simple, à la troisième personne du singulier du subjonctif imparfait de tous les verbes (sauf *haïr*, qui garde son tréma).

Ex. : *nous chantâmes, vous chantâtes, qu'il chantât ; nous finîmes, vous finîtes, qu'il finît ; nous vînmes, vous vîntes, qu'il vînt.*

— dans les participes passés *crû, dû, mû, recrû* et *redû*, lorsqu'ils sont au masculin singulier (au féminin ou au pluriel, l'accent circonflexe disparaît).

Adverbes en -MENT

L'adverbe en -MENT est issu d'un adjectif qualificatif, parfois d'un participe passé.

• Si l'adjectif masculin se termine par e ou une autre voyelle, on ajoute simplement -MENT.

Ex. : *tendre > tendrement ; joli > joliment ; résolu > résolument ; dû > dûment.*

Exceptions :

— *(beau) bellement ; (fou) follement ; (mou) mollement ; (gai) gaiement ; (impuni) impunément.*

— Le e d'un certain nombre d'adjectifs qualificatifs devient é :

Ex. : *aveugle > aveuglément ; (in)commode > (in)commodément ; conforme > conformément ; dense > densément.*

— Le u d'un certain nombre d'adjectifs qualificatifs devient û :

Ex. : *assidu > assidûment ; congru > congrûment ; continu > continûment ; cru > crûment ; fichu > fichûment.*

• Si l'adjectif masculin se termine par une consonne, il faut d'abord le mettre au féminin, avant d'ajouter -MENT.

Ex. : *lent > lente > lentement ; franc > franche > franchement.*

Exceptions :

— *gentil > gentiment.*

— Le e du féminin d'un certain nombre d'adjectifs qualificatifs devient é :

Ex. : *commune > communément ; confuse > confusément ; diffuse > diffusément ; expresse > expressément.*

• Si l'adjectif se termine par -ANT ou -ENT, l'on supprime -NT et l'on ajoute -MMENT.
Ex. : *mécha*nt *> mécha- + -MMENT > méchamment.*
patient > patie- + -MMENT > patiemment.

Remarque : Certains adverbes sont issus d'adjectifs qualificatifs disparus aujourd'hui.
Ce sont : *brièvement, grièvement, journellement, notamment, nuitamment, précipitamment* et *traîtreusement.*

Apostrophe

• L'apostrophe indique que la voyelle finale d'un mot (*a, e* ou *i*) est supprimée, parce que le mot suivant commence par une voyelle ou un *h* muet.

• Elle marque l'**élision** de cette voyelle finale.
Ex. : ~~la affaire~~ > l'affaire ; ~~le ennemi~~ > l'ennemi ; ~~si ils~~ > s'ils.

• Les mots qui s'élident sont :

– les déterminants ou pronoms *le, la, je, me, te, se* et *ce*

– les prépositions et conjonctions *de, jusque, lorsque, parce que, puisque, que, quoique* et *si* (lorsqu'il précède *il(s)*).

Attention : Devant un *h* aspiré, il n'y a pas d'élision et donc pas d'apostrophe.
Ex. : *le héros ; la haine.* (Voir **Lettre** *h* aspiré, p. 16)

Cédille

• La cédille se place sous la lettre *c*, devant les voyelles *a, o* et *u*, pour noter le son *s*. Sans la cédille, le son prononcé est *k*.
Ex. : *il avança ; un maçon ; reçu.*

• Les verbes en -CER prennent une cédille à certains temps et à certaines personnes.

Consonnes finales muettes

• En français, un certain nombre de consonnes finales sont muettes. Ainsi, pour orthographier correctement un mot, il est parfois utile de penser à ses dérivés, ou à sa forme féminine, s'il s'agit d'un adjectif.

• Les consonnes finales qui ne se prononcent pas sont :

– C   Ex. : *un banc* (*bancal*) ; *blanc* (*blanche, blancheur*).

– CT   Ex. : *l'instinct* (*instinctif*) ; *le respect* (*respecter, respectueux*).

– D   Ex. : *un bond* (*bondir*) ; *froid* (*froide, froideur, froidure*).

– L   Ex. : *un outil* (*outillage*) ; *le persil* (*persillade*).

– M   Ex. : *un nom* (*nommer, nominal, nominatif*) ; *un parfum* (*parfumerie, parfumer, parfumeur*).

– N   Ex. : *brun* (*brune, brunir*) ; *chacun* (*chacune*).

– P   Ex. : *un loup* ; *un coup*.

– R   Ex. : *un fermier* (*fermière*) ; *léger* (*légère, légèreté*).

Notons que tous les verbes du groupe I et un certain nombre de noms communs et d'adjectifs qualificatifs (au masculin singulier) se terminent par *-ER* (Voir IV, A,1, p. 43).

– S   Ex. : *une souris* ; *sournois* (*sournoise*).

En outre, un grand nombre de mots (noms communs, adjectifs qualificatifs, déterminants) ont un pluriel en *-S*.
Les verbes, conjugués à certaines personnes (première et deuxième du singulier, première du pluriel, essentiellement), ont aussi une finale en -S.

– T   Ex. : *un front* (*frontal, affronter*) ; *le coût* (*coûter, coûteux*).
De plus, les verbes des groupes II et III, conjugués à la troisième personne du singulier, ont très souvent une finale muette en *-T*.

– X   Ex. : *un époux* ; *courageux*.
Notons aussi que certains noms communs et adjectifs qualificatifs (au masculin singulier), ainsi que certains verbes (pouvoir, valoir et

vouloir, aux première et deuxième personnes du singulier de l'indicatif présent) ont une finale muette en -*x*.

– Z   Ex. : *un nez*.
De plus, tous les verbes conjugués à la deuxième personne du pluriel de l'indicatif présent, du subjonctif présent et de l'impératif présent se terminent par -*z*.

Consonnes redoublées

• **C-**
La plupart du temps, la consonne *c* est redoublée après *a*- et *o*-, à l'initiale d'un mot.
　　Ex. : *accord, accrocher, accueil...*
　　　　occasion, occulte, occuper.
　　Exceptions : *acabit, acacia, académie, acajou, acanthe, acariâtre, acolyte, acompte, acoquiner, acoustique, âcre, acrobate, acuité, ocre, oculaire, oculiste.*

• **F-**
Très généralement, la consonne *f* est redoublée après *a*-, *e*- et *o*-, après *di*- et *su*-, à l'initiale d'un mot.
　　Ex. : *affectation, affirmer, affubler...*
　　　　effacer, effeuiller, efficace...
　　　　offense, officiel, offrir...
　　　　différent, différer, difforme...
　　　　suffisant, suffoquer, suffrage...

　　Exceptions : *afin, africain* et *Afrique*.

• **L-**
La consonne *l* est redoublée après *i*-, à l'initiale d'un mot.
　　Ex. : *illégal, illuminer, illusion...*

• **M-**
On redouble la consonne *m*

– après *i*-, à l'initiale d'un mot.
　　Ex. : *immatriculation, immeuble, immobile...*
　　Exceptions : *image, imaginer, imiter.*

- après *co-*, à l'initiale d'un mot.
  Ex. : *commander, commission, commun*...
  Exceptions : *coma, comédie, comédien, comique, comète, comestible, comices.*
- dans les adverbes en *-amment* et *-emment*, issus d'adjectifs qualificatifs en *-ant* et *-ent*.
  Ex. : *méchamment, intelligemment*...

• **N-**
La consonne *n* est redoublée

- après *co-*, à l'initiale d'un mot.

  Ex. : *connaissance, connivence, connoter*...
  Exceptions : *conifère, conique.*
- dans trois mots en *-anne* : *chouanne*, *Jeanne* et *paysanne.*
- dans les mots en *-enne*, à la finale et au féminin.
  Ex. : *lycéenne, mathématicienne, mienne*...
- dans les mots en *-onne*, à la finale et au féminin.
  Ex. : *bonne*, col*onne*, li*onne*.
- dans les verbes en *-onner*, dérivés de noms en *-on*.
  Ex. : *(clairon) claironner, (poison) empoisonner, (raison) raisonner*...
  Exceptions : *(poumon) époumoner, (violon) violoner.*
- dans les adjectifs qualificatifs en *-onnel*, dérivés de noms en *-on*.
  Ex. : *(convention) conventionnel, (passion) passionnel, (tradition) traditionnel*...

• **P-**
On redouble la consonne *p* après *su-*, à l'initiale.

  Ex. : *supplément, supplice, supporter*...
  Exceptions : *suprême, suprématie* et les mots présentant *super-, supin-* ou *supra-* à l'initiale.

• **R-**
La consonne *r* est redoublée après *i-*, à l'initiale d'un mot.
  Ex. : *irradier, irréductible, irriguer*...
  Exceptions : *irascible, ironique, iris, Iran, iranien.*

I. Les règles d'usage : déterminant numéral

• **T-**
La consonne *t* est redoublée

– après *a-* à l'initiale d'un mot.
  Ex. : <u>att</u>aque, <u>att</u>endre, <u>att</u>itude...
  Exceptions : atavisme, atelier, atermoyer, atome, atone, atour, atout, atroce, atrophier.

– dans les mots *chatte, pâlotte, sotte* et *vieillotte*.

– dans les mots en *-ette*, à la finale et au féminin.
  Ex. : cad<u>ette</u>, maigrel<u>ette</u>...
  Exceptions : *(in)complète, concrète, désuète, (in)discrète, inquiète, préfète, replète, secrète*.

• **S-**
La consonne *s* est doublée entre deux voyelles, pour garder le son s.
  Ex. : co<u>ss</u>in, mi<u>ss</u>ion, pre<u>ss</u>er...

Attention : Devant la finale *-ion*, le son s peut être transcrit par les lettres *-ss-* (*mission*), *-t-* (*nation*), *-c-* (*suspicion*) ou même *-x-* (*réflexion*).

Aucune règle ne permet de savoir quand l'on choisit l'une plutôt que l'autre orthographe. Il faut donc consulter le dictionnaire.

Déterminant numéral

• *ZÉRO* est un nom commun.
Il varie donc en nombre.
  Ex. : *cinq zéros*.

• *UN* n'est variable qu'en genre.
  Ex. : *vingt et une roses*.

Remarque : Dans les déterminants indéfinis *quelques-uns, les uns... les autres*, un varie aussi en nombre.

• *VINGT* et *CENT* ne varient que s'ils sont multipliés et s'ils ne sont pas suivis d'un autre numéral.
  Ex. : *quatre-vingt-trois ans ; quatre-vingts ans ; deux cent trois euros ; deux cents euros*.

- MILLE reste toujours invariable.
  Ex. : *mille euros ; deux mille euros ; deux mille trois cents euros.*

- MILLION, MILLIARD et MILLIER peuvent se mettre au pluriel.
  Ex. : *deux millions d'hommes ; deux milliards d'hommes ; des milliers d'hommes.*

LES DÉTERMINANTS COMPOSÉS

Les déterminants numéraux simples qui constituent les formes composées sont :

- coordonnés par *et* quand il s'agit d'une addition d'une dizaine et de *un* jusqu'à *soixante*, et dans *soixante et un.*
  Ex. : *vingt et un, trente et un, quarante et un, cinquante et un, soixante et un.*

- juxtaposés, **avec un trait d'union**, quand l'un et l'autre sont inférieurs à *cent* (et s'il n'y a pas de *et*).
  Ex. : *quatre-vingt-treize ; mille deux cent vingt-huit.*

- juxtaposés **sans trait d'union**, quand l'un des deux est supérieur à *cent*.
  Ex. : *trois mille deux cent vingt.*

Lettre *e* muet

- On appelle e « muet » un e qui s'efface dans la langue courante.

- On le trouve très souvent à la fin des mots.
  Ex. : *une bougie ; une année ; une aventure.*

- Il peut aussi apparaître à l'intérieur des mots, notamment ceux qui sont dérivés des verbes en *-IER*, *-OUER*, *-UER* et *-YER*.
  Ex. : *un boulevard ; un balbutiement (< balbutier) ; un dénouement ; (< dénouer) ; un éternuement (< éternuer).*

I. Les règles d'usage : lettre h

Lettre *h*

La lettre *h* ne se prononce pas mais est importante, à la fois dans l'écriture et dans la prononciation.

• À l'initale d'un mot, le *h* peut être soit « muet » soit « aspiré ».

Le *h* **muet** ne se prononce pas et permet l'**élision** des mots qui le précèdent. À l'oral, la **liaison** peut se faire.
   Ex. : *l'horreur, l'herbe, les horreurs, les herbes.*

Le *h* **aspiré** ne se prononce pas non plus, mais ne permet ni élision ni liaison.
   Ex. : *le haricot, le héros, les haricots, les héros.*

Remarque : Dans le dictionnaire, le *h* aspiré est transcrit phonétiquement par une apostrophe (') ou un astérisque (*).

• À l'intérieur d'un mot, le *h* indique qu'il faut prononcer chacune des voyelles qu'il sépare.
   Ex. : *ahuri, trahir.*

Après la plupart des consonnes, le *h* ne se prononce pas.
   Ex. : *adhérer ; inhérent ; théâtre...*

Toutefois, avec la consonne c, *h* est très souvent prononcé [ʃ].
   Ex. : *acheter ; chaud ; un échafaudage...*

Mais, dans certains mots d'origine grecque, la combinaison *ch* se prononce k.
　　Ex. : *chlore ; orchestre ; orchidée...*

Majuscule

• Quelle que soit la nature du mot, l'on doit mettre une majuscule :

– au premier mot d'une phrase
　　Ex. : *La neige se mit à tomber à gros flocons. Les trottoirs en furent vite recouverts.*

– après des guillemets ou un tiret, dans le discours rapporté direct
　　Ex. : *« Comme c'est joli ! – Oui, on dirait une couverture blanche. »*

– au premier mot de chaque vers d'un poème
　　Ex. : *« Je fais souvent ce rêve étrange et pénétrant*
　　　　　D'une femme inconnue, et que j'aime, et qui m'aime... » (Verlaine)

• Quelle que soit sa place dans la phrase, le **nom** prend une masjuscule quand il désigne une personne, une famille, une localité, un pays, un point cardinal, une institution, un monument historique, un ouvrage, une divinité, un titre honorifique, une période historique, une marque.
　　Ex. : *Marie ; les Dupond ; la Normandie ; la Grèce ; le Nord ; le Sénat ; le Panthéon ; L'Odyssée ; Bacchus ; Monseigneur ; l'Antiquité ; un Perrier.*

Toutefois, lorsque le nom propre passe dans la catégorie des noms communs, pour désigner un objet ou un type humain, il apparaît sans majuscule et précédé d'un déterminant.
　　Ex. : *une poubelle* (du nom du préfet Poubelle) ; *un harpagon* (du nom du personnage de Molière, Harpagon).

• **L'adjectif qualificatif** prend une majuscule quand :

– il précise le surnom d'un personnage
　　Ex. : *Pépin le Bref.*

I. Les règles d'usage : trait d'union

– il est dérivé d'un nom de localité, de pays, de ville..., qu'il désigne des personnes et est employé comme nom propre
Ex. : *les Normands ; les Belges ; les Anglais.*

Toutefois, l'adjectif qualificatif ne prend pas de majuscule quand il est employé comme adjectif ou quand il désigne une langue.
Ex. : *les paysages normands ; les chocolats belges ; l'anglais* (la langue).

Trait d'union

• Le trait d'union n'est pas un signe de ponctuation, à la différence du tiret (qui est normalement plus long).

• On le trouve toujours :

– après une **forme verbale** et son **pronom sujet** (dans les phrases interrogatives ou les incises)
Ex. : *Vient-elle à la fête ? ; Est-ce toi ? ; « Attends-moi ! »*, *cria-t-elle.*

Remarque : S'ajoute un *t* de liaison lorsque le verbe se termine par une voyelle et que son pronom sujet commence aussi par une voyelle.

– après un **verbe à l'impératif** et son/ses **pronom(s) complément(s)**
Ex. : *Cours-y vite ! ; Dis-le-moi.*

– dans les **déterminants numéraux** dont les termes sont **inférieurs à** *cent* (et s'il n'y a pas et)
Ex. : *Quatre-vingt-treize ; mille deux cent vingt-huit.*

– devant les particules *ci* et *là* (des déterminants et pronoms démonstratifs composés)
Ex. : *Prends cette robe-là ; celle-ci est moins lumineuse.*

– entre le **pronom personnel** et l'adjectif *même*
Ex. : *Je le lui annoncerai moi-même.*

Remarque : Lorsque *même* est précédé d'un nom, d'un adverbe ou d'un pronom d'un autre type, il n'y a pas de trait d'union.

— dans les noms ou adjectifs qualificatifs composés, dont l'un des éléments est *demi, semi, mi, nu, nouveau* ou *grand*

    Ex. : *une demi-heure ; une semi-voyelle ; mi-ouvert ; nu-tête ; nouveau-né ; un grand-père.*

• Le trait d'union sert aussi à relier les parties d'un mot qu'on a coupé au bout d'une ligne, faute de place.

Tréma

Le tréma se met sur une voyelle, pour indiquer que l'on prononce la voyelle qui précède.

Il peut se placer sur un *i*, un *e* ou un *u*.

    Ex. : *une coïncidence ; une note aiguë ; un capharnaüm.*

Remarques :

• Dans certains mots, c'est la lettre *h* qui indique que les deux voyelles doivent être prononcées.

• Le verbe *haïr* ne perd son tréma qu'aux première et deuxième personnes du singulier de l'indicatif présent et à la deuxième personne du singulier de l'impératif présent.

- II -
La ponctuation

Les points (. ? ! ...)

Le **point** marque la fin d'une phrase.
Le mot qui le suit commence donc par une majuscule.
(Voir I – Majuscule, p. 17)

• Le point **final** (.) s'utilise pour marquer la fin d'une phrase affirmative (qui donne une information) ou impérative (qui vise à faire agir le destinataire).

Ex. : *Gladys prépare soigneusement ses cours.*
Révise tes cours.

Remarque : Il sert aussi à marquer qu'un mot est abrégé.
Ex. : *À M. Dupont* (où *M.* est mis pour *Monsieur*).

• Le point **d'interrogation** (?) est utilisé pour marquer la fin d'une phrase interrogative directe (qui demande une information).

Ex. : *As-tu bien révisé tes cours ?*

• Le point **d'exclamation** (!) s'emploie pour marquer la fin d'une phrase exclamative (qui traduit un sentiment).

Ex. : *Aïe ! Je me suis pincé le doigt !*

• Les points **de suspension** (...) sont utilisés pour indiquer que la phrase est inachevée.

Ex. : *J'ai acheté des oranges, des poires, des abricots, des bananes...*

On les emploie aussi pour traduire l'hésitation de l'énonciateur, ou pour montrer que l'on ne veut pas donner un nom en entier.

Ex. : *Euh... Je ne sais que vous répondre... J'hésite...*
J'ai passé toute mon enfance dans le village de P...

La virgule (,), le point-virgule (;), le deux-points (:)

Ces signes s'utilisent à l'intérieur d'une phrase.
Ils sont donc suivis d'une minuscule.

II. La ponctuation : les guillemets

• La **virgule** établit une courte pause, à l'intérieur d'une phrase. Elle sert à séparer des mots, groupes de mots ou propositions.

Ex. : *J'ai acheté des oranges, des poires, des abricots et des bananes.*

On l'utilise aussi pour mettre certains mots en évidence.

Ex. : *S'impatientant, le candidat perdit son sang-froid.*

• Le **point-virgule** sert à séparer deux propositions, dont la seconde est un développement (précision, explication...) de la première.

Ex. : *Laure est arrivée avec une heure de retard ; elle avait raté son train.*

• Le **deux-points** indique que le terme le précédant va être développé.

Ex. : *Vous achèterez les livres suivants* : Les Fourberies de Scapin, Les Misérables *et* La Vénus d'Ille.

Il sert aussi à introduire une citation. Dans ce cas, il est suivi de guillemets et d'une majuscule.

Ex. : *L'enfant déclara alors* : « *J'ai perdu ma maman.* »

Les guillemets (« »)

Les **guillemets** sont utilisés lorsque l'on cite un texte dont on ne prend pas la responsabiblté.

Ex. : *Le ministre a annoncé que* « des budgets seront prévus pour résoudre ce problème ».

On les trouve donc pour commencer et finir un discours rapporté direct.

Ex. : « *Attends-moi, s'écria Salomé.*
— *Ne t'inquiète pas, je suis là, lui répondit Jules.*
— *Je suis petite. Je n'arrive pas à te suivre !* »

Remarque : Dans l'écriture manuscrite, l'on utilise les guillemets pour remplacer l'italique.

II. La ponctuation : tiret, parenthèses, crochets

Le tiret (–), les parenthèses ( ), les crochets [ ]

• Le **tiret** est employé dans le discours rapporté direct, pour marquer un changement d'énonciateur.

> Ex. : « *Attends-moi, s'écria Salomé.*
>   — *Ne t'inquiète pas, je suis là, lui répondit Jules.*
>   — *Je suis petite. Je n'arrive pas à te suivre !* »

Il peut aussi isoler certains éléments dans la phrase et remplacer les parenthèses.

> Ex. : *Hier soir, je me suis couchée à vingt et une heures – ce qui ne m'était pas arrivé depuis longtemps – et je me suis endormie tout de suite.*

• Les **parenthèses** indiquent que ce qui est dit est accessoire, dans la phrase.

> Ex. : *Hier soir, je me suis couchée à vingt et une heures (ce qui ne m'était pas arrivé depuis longtemps) et je me suis endormie tout de suite.*

• Les **crochets** sont utilisés, comme les parenthèses, pour encadrer une information peu importante.

Ils ne sont employés que pour éviter la répétition des parenthèses, ou pour faire apparaître la transcription phonétique d'un mot.

> Ex. : *Vous lirez le troisième chapitre du roman [partie V pages 53 à 68].*

- III -
Le verbe

Participes

A – PARTICIPE PRÉSENT ET ADJECTIF VERBAL

• Le participe présent est une forme verbale. Il reste toujours invariable.

Ex. : *Elle raconta une histoire tragique, **émouvant** tout le monde.*

L'adjectif verbal, lui, s'accorde en genre et en nombre avec le mot auquel il se rapporte (selon les mêmes règles que l'adjectif qualificatif).

Ex. : *Elle raconta une histoire tragique et **émouvante**.*

• La forme en -ANT est un participe présent quand :

– elle est précédée de *en*, pour former le gérondif
Ex. : *C'est en **forgeant** qu'on devient forgeron.*

– elle est précédée du pronom personnel réfléchi *se* (*s'*)
Ex. : *Se **contentant** de cette réponse, elle sortit de la banque.*

– elle est précédée de l'adverbe de négation *ne* (*n'*)
Ex. : *Ne **sachant** que dire, elle se tut.*

– elle est suivie d'un complément d'objet
Ex. : ***Connaissant** sa leçon par cœur, Mélanie était confiante.*

– elle fait partie d'une proposition subordonnée participiale
Ex. : *La neige **tombant**, les promeneurs se mirent à l'abri.*

• La forme en -ANT est un adjectif verbal quand :

– elle est précédée d'un adverbe de quantité ou de temps
Ex. : *Cette élève était toujours **souriante**.*

– elle peut être remplacée par un adjectif qualificatif
Ex. : *Ces chiots sont **obéissants** / dociles.*

Remarque : Parfois, participes présents et adjectifs verbaux présentent des formes distinctes.

Infinitifs	Participes présents	Adjectifs verbaux
convaincre	convainquant	convaincant
communiquer	communiquant	communicant
provoquer	provoquant	provocant
suffoquer	suffoquant	suffocant
vaquer	vaquant	vacant
déléguer	déléguant	délégant
divaguer	divaguant	divagant
extravaguer	extravaguant	extravagant
intriguer	intriguant	intrigant
fatiguer	fatiguant	fatigant
naviguer	naviguant	navigant
zigzaguer	zigzaguant	zigzagant
adhérer	adhérant	adhérent
affluer	affluant	affluent
confluer	confluant	confluent
coïncider	coïncidant	coïncident
converger	convergeant	convergent
déférer	déférant	déférent
déterger	détergeant	détergent
différer	différant	différent
diverger	divergeant	divergent
émerger	émergeant	émergent
équivaloir	équivalant	équivalent
exceller	excellant	excellent
expédier	expédiant	expédient
influer	influant	influent
négliger	négligeant	négligent
précéder	précédant	précédent
résider	résidant	résident
somnoler	somnolant	somnolent
violer	violant	violent

III. Le verbe : participes

• *Soi-disant* reste toujours invariable.
Ex. : *Elle nous présenta ses **soi-disant** amis.*
*Il nous a quittés, **soi-disant** pour aller voir sa sœur.*

• *Tapant* et *sonnant* sont souvent considérés comme des adjectifs ; ils varient donc.
Ex. : *Je serai là à dix heures **tapantes** / **sonnantes**. Ne me fais pas attendre.*

B – FORMATION DU PARTICIPE PASSÉ

1) Valeurs et emplois

• Le participe passé exprime une action accomplie.

• Précédé de l'auxiliaire *être*, il sert à former les temps composés ou à construire la forme passive d'un verbe.
Précédé de l'auxiliaire *avoir*, il sert à former les temps composés.
Il s'accorde selon des règles bien spécifiques.
(Voir C, accords du participe passé, p. 30.)

• Employé seul, il fonctionne comme l'adjectif qualificatif et varie selon les mêmes règles.
(Voir C, accords du participe passé, p. 30.)

2) Règle générale

Groupe I	Groupe II	Groupe III	
chant-er	fin-ir	cour-ir	part-ir
(ayant) chant-é	(ayant) fin-i	(ayant) cour-u	(étant) part-i

• Tous les verbes du **groupe I** prennent -é.
• Tous les verbes du **groupe II** prennent -*i*.

Remarque : Le verbe *haïr* garde son tréma sur l'-*i* (*haï*).

• La plupart des verbes du **groupe III**, prennent -*u*.

avoir	apercevoir	battre	boire	choir
eu	aperçu	battu	bu	chu

conclure	connaître	coudre	courir	croire
conclu	connu	cousu	couru	cru

• Quelques verbes du groupe III prennent -i.

assaillir	bouillir	cueillir	dormir	faillir	fuir	mentir
assailli	bouilli	cueilli	dormi	failli	fui	menti

partir	rire	sentir	servir	suffire	suivre	tressaillir
parti	ri	senti	servi	suffi	suivi	tressailli

• D'autres, peu nombreux, prennent -û, -t, -ert, -is, -s ou même -é. Ainsi, il faut penser au féminin, pour connaître la dernière lettre du participe passé masculin singulier.

3) Particularités de certains verbes du groupe III

a) Les verbes prenant -û

croître	devoir	mouvoir	recroître	redevoir
crû	dû	mû	recrû	redû

Remarques :
• Lorsqu'ils se mettent au féminin ou au pluriel, l'accent circonflexe disparaît.
Ex. : *des euros dus ; une somme due ; des sommes dues.*

• Les verbes *accroître, décroître, émouvoir* et *promouvoir*, au participe passé, ne prennent pas d'accent circonflexe : *accru, décru, ému* et *promu*.

b) Les verbes prenant -t

craindre	confire	cuire	dire	écrire	faire
craint	confit	cuit	dit	écrit	fait

III. Le verbe : participes

joindre	maudire	mourir	peindre	traire
joint	maudit	mort	peint	trait

Remarque : Tous les verbes en -INDRE ont un participe passé en -t.

c) Les verbes prenant -ert

couvrir	offrir	ouvrir	souffrir
couvert	offert	ouvert	souffert

d) Les verbes prenant -is

acquérir	asseoir	mettre	prendre
acquis	assis	mis	pris

Remarque : Tous les verbes en -QUÉRIR ont un participe passé en -is.

e) Les verbes prenant -s

absoudre	clore	dissoudre
absous	clos	dissous

Remarque : Les verbes *absoudre* et *dissoudre* ont un participe passé en -s, même si, au féminin, l'on a *absoute* et *dissoute*.

f) Les verbes prenant -é

être	naître
été	né

C – ACCORDS DU PARTICIPE PASSÉ

EMPLOYÉ SEUL
1. Les magasins **décorés** attiraient l'attention.
2. **Excepté** les librairies, tous les magasins étaient décorés.
3. Les librairies **exceptées**, tous les magasins étaient décorés.

1) Règle générale

Employé seul, le participe passé s'accorde comme un adjectif qualificatif, en genre et en nombre **avec le nom ou le pronom** auquel il se rapporte.

Dans l'exemple 1, *décorés* s'accorde avec *magasins* (masculin pluriel).

(Pour les cas particuliers, voir p. 55, accords de l'adjectif qualificatif.)

2) Cas particuliers

Attendu, étant donné, excepté, mis à part, ôté, passé, supposé, vu, non compris, y compris, ci-annexé, ci-inclus, ci-joint restent **invariables**, s'ils **précèdent** le mot qu'ils accompagnent.

Dans l'exemple 2, *excepté* précède *librairies* et reste donc invariable. Lorsqu'ils le suivent, ils s'accordent en genre et en nombre avec lui. Dans l'exemple 3, *exceptées* suit *librairies*, nom avec lequel il s'accorde (féminin pluriel).

EMPLOYÉ AVEC *ÊTRE*

1. *Les fêtes de fin d'année étaient enfin **arrivées**.*
2. *Les magasins avaient été **décorés** par les commerçants.*

1) Règle générale

Employé avec l'auxiliaire *ÊTRE*, le participe passé s'accorde en genre et en nombre **avec le sujet du verbe**, dans une phrase à la voix active ou à la voix passive.

Dans l'exemple 1, *arrivées* s'accorde en genre et en nombre avec *fêtes* (féminin pluriel).
Dans l'exemple 2, *décorés* s'accorde avec *magasins* (masculin pluriel).

(Pour les cas particuliers, voir p. 37, accords du verbe.)

EMPLOYÉ AVEC *AVOIR*

1. *Les magasins, ils les ont **admirés** pendant des heures.*
2. *Vous avez **admiré** les magasins qui étaient décorés.*
3. *Vous avez **chanté**.*

III. Le verbe : participes

1) Règle générale

Employé avec l'auxiliaire AVOIR, le participe passé s'accorde en genre et en nombre **avec le complément d'objet direct** (COD) du verbe, si ce COD le précède.
Lorsque le COD suit le verbe, ou s'il n'y a pas de COD, le participe passé reste invariable.

Dans l'exemple 1, *admirés* s'accorde en genre et en nombre avec *les*, placé devant et mis pour *magasins* (masculin pluriel).
Dans l'exemple 2, le participe passé *admiré* reste invariable car le COD du verbe, *magasins*, est après.
Dans l'exemple 3, *chanté* est invariable, car il n'y a pas de COD.

2) Le COD est le pronom relatif QUE (QU')

4. *Il a reçu la somme qu'il avait* **espérée**.
5. *Il a reçu la somme qu'il avait* **espéré** *qu'on lui donnerait*.

• Lorsque le COD renvoie au pronom relatif QUE, le participe passé s'accorde en genre et en nombre **avec l'antécédent de ce pronom**.
Dans l'exemple 4, *espérée* s'accorde avec *somme* (féminin singulier), l'antécédent de QUE.

• Toutefois, le participe passé reste invariable quand l'antécédent de QUE est COD d'un verbe placé après le participe.
C'est le cas dans l'exemple 5 ; *somme*, l'antécédent de QUE, est COD de *donnerait*.

3) Le COD est le pronom personnel EN

6. *Il a acheté des chocolats et m'en a* **offert**.

Lorsque le COD du verbe est le pronom EN, le participe passé reste **invariable**.
Dans l'exemple 6, *offert* a pour COD EN et reste invariable.

4) Le COD du verbe est le pronom personnel LE (L'), qui renvoie à une proposition

7. *Il viendra, du moins, il me l'a* **dit**.

• Lorsque le COD du verbe est le pronom LE (L'), qui remplace toute une proposition, le participe passé reste **invariable**.
En effet, cette proposition n'a ni genre ni nombre.

Dans l'exemple 7, le COD du verbe est *L'*, dont l'antécédent est la proposition *il viendra*. *Dit* reste donc invariable.

5) Le COD renvoie à un collectif ou à une fraction, suivis de leur complément

8. *Mon père chassa la nuée d'oiseaux que les cerises avaient **attirée** / **attirés**.*
9. *Il restait une moitié du fromage ; tu l'as **emballée** / **emballé** ?*
10. *Il restait les trois quarts du fromage ; tu les as **emballés** ?*

• Lorsque le COD du verbe renvoie à un nom collectif ou une fraction suivis de leur complément, le participe passé peut s'accorder soit avec ce collectif / cette fraction, soit avec le nom qui les accompagne.

Dans l'exemple 8, *que* renvoie à *la nuée d'oiseaux* (nom collectif + complément).
Attirée / attirés peut s'accorder soit avec *nuée* (féminin singulier), soit avec *oiseaux* (masculin pluriel).
De la même façon, dans l'exemple 9, *emballée / emballé* peut s'accorder soit avec *moitié* (féminin singulier), soit avec *fromage* (masculin singulier).

• Toutefois, lorsque le nom de fraction est pluriel, le participe passé s'accorde avec lui (Ex. 10).

6) Le COD du verbe renvoie à un adverbe de quantité, suivi de son complément

11. *Trop de gens que j'ai **connus** ont aujourd'hui disparu.*
12. *Le peu d'efforts que tu as **faits** ont été payants.*
13. *Le peu d'efforts que tu as **fait** n'a servi à rien.*

• Lorsque le COD du verbe renvoie à un adverbe de quantité suivi de son **complément**, c'est ce dernier qui dicte l'accord.

Dans l'exemple 11, le COD *que* renvoie à *trop de gens* (adverbe de quantité + complément).
Le participe passé *connus* s'accorde avec *gens* (masculin pluriel).

• Avec *le peu de*, l'accord se fait avec le complément, si l'idée de suffisance domine.

III. Le verbe : participes

Dans l'exemple 12, les *efforts* ont suffi. *Faits* s'accorde donc avec ce mot.
Le participe s'accorde avec *le peu de* si l'idée d'insuffisance domine.
Dans l'exemple 13, les *efforts* ont été vains. *Fait* ne varie pas.

7) Le participe passé est suivi d'un infinitif
14. *La troupe que j'ai **vue** jouer était internationale.*
15. *La pièce que j'ai **vu** jouer était de Molière.*
16. *Les enfants se sont jetés dans l'eau ; leur mère les a **laissé** faire.*

• Dans ce cas, le participe passé ne s'accorde que si le COD du verbe fait l'action de l'infinitif.
Sinon, le participe passé reste invariable.

Dans l'exemple 14 *vue* s'accorde avec le COD du verbe, *troupe* (féminin singulier), car c'est elle qui fait l'action de *jouer*.
Dans l'exemple 15, *vu* reste invariable, car le COD du verbe, *pièce*, ne fait pas l'action de *jouer*.

• Les participes passés des verbes *faire* et *laisser* suivis d'un infinitif restent toujours invariables.
C'est le cas dans l'exemple 16.

8) Le participe passé des verbes impersonnels ou employés impersonnellement
17. *Les sommes qu'il a **fallu** verser étaient considérables.*
18. *Les tempêtes qu'il y a **eu** ont tout dévasté.*

Le participe passé d'un verbe impersonnel ou d'un verbe employé impersonnellement reste invariable.
En effet, il ne faut pas confondre COD et sujet réel d'un verbe impersonnel.

Dans l'exemple 17, *les sommes* n'est pas le COD mais le sujet réel du verbe *a fallu* (le sujet apparent étant *il*).
Dans l'exemple 18, *les tempêtes* est le sujet réel de *a eu*, et pas son COD.

9) Le participe passé de certains verbes qui ont un sens intransitif
19. *Les vingt minutes que j'ai **couru** m'ont fait du bien.*
20. *Les dangers qu'ils ont **courus** ont fait d'eux des héros.*

• Le participe passé ne s'accorde que si le verbe est transitif et a donc un COD placé devant lui.
Si le verbe a un sens intransitif, le participe passé reste **invariable**.

Dans l'exemple 19, *les vingt minutes* n'est pas COD mais complément circonstanciel de temps de *courir*. Le participe passé reste donc invariable.
Dans l'exemple 20, en revanche, *les dangers* est COD du verbe *courir*.
Le participe passé s'accorde donc avec lui (masculin pluriel).

• Sont concernés par cette règle les verbes **de mesure, de prix, de temps**.
Ce sont : *coûter, courir, dormir, marcher, mesurer, peser, reposer, régner, vivre...*

PARTICIPE PASSÉ DES VERBES PRONOMINAUX
1. *Elle s'est **coupée** au doigt.*   (réfléchi)
2. *Elle s'est **coupé** le doigt.*   (réfléchi)
3. *Ils se sont **battus** pendant la récréation.*   (réciproque)

1) Règle générale
Le participe passé d'un verbe pronominal réfléchi ou réciproque s'accorde en genre et en nombre **avec le COD** du verbe, **si ce COD le précède**.
Ainsi, si *se* est COD, le participe passé s'accorde avec lui.

S'il n'y a pas de COD (ni *se*, ni un autre mot), le participe passé reste invariable.
Les participes passés des verbes **transitifs indirects** (qui se construisent avec un COI) restent donc toujours **invariables**.

Dans l'exemple 1, le participe passé *coupée* s'accorde en genre et en nombre avec le COD placé devant, *se*, qui renvoie à *elle* (féminin singulier).
Dans l'exemple 2, *coupé* reste invariable, puisque le COD du verbe, *le doigt*, se trouve derrière lui. *S'* est, ici, complément d'objet second.
Dans l'exemple 3, *battus* s'accorde en genre et en nombre avec le COD placé devant, *se*, qui renvoie à *ils* (masculin pluriel).

III. Le verbe : participes

2) Le participe passé des verbes essentiellement pronominaux et des verbes pronominaux à sens passif

4 *Isabelle s'est évanouie.*   (essentiellement pronominal)

5. *Quels droits elle s'est arrogés !*   (essentiellement pronominal)

6. *Les combats se sont livrés ici.*   (pronominal à sens passif)

• On appelle « verbe essentiellement pronominal » un verbe qui est toujours précédé de *se* ou qui a un tout autre sens lorsqu'il apparaît sans *se*.

Son participe passé s'accorde en genre et en nombre **avec le sujet** du verbe.

Dans l'exemple 4, *évanouie* s'accorde avec *Isabelle* (féminin singulier).

Attention : Bien qu'étant un verbe essentiellement pronominal, le participe passé de *s'arroger* s'accorde en genre et en nombre avec le COD du verbe (Ex. 5).

• Lorsque le verbe pronominal a un sens passif, son sujet subit l'action.

Le participe passé, lui aussi, s'accorde en genre et en nombre **avec le sujet** du verbe.

Dans l'exemple (6), *livrés* s'accorde avec *combats* (masculin pluriel).

3) Le participe passé des verbes pronominaux, suivi d'un infinitif

7. *La vedette s'est **vue** tomber en arrière.*

8. *La vedette s'est alors **vu** prendre en photo.*

9. *La souris s'est **laissée** tomber sur le sol.*

• Dans ce cas, le participe passé ne **s'accorde** que si le COD du verbe fait l'action de l'infinitif.

Sinon, le participe passé reste invariable.

Dans l'exemple 7, *vue* s'accorde avec le COD du verbe, *s'*, mis pour *vedette* (féminin singulier), car c'est elle qui fait l'action de *tomber*.

Dans l'exemple 8, *vu* reste invariable, car le COD du verbe, *s'*, mis pour *vedette* ne fait pas l'action de *prendre*.

• Le participe passé du verbe pronominal *se laisser* suivi d'un infinitif s'accorde si le COD du verbe fait l'action de l'infinitif (Ex. 9).

Le participe passé du verbe pronominal *se faire* suivi d'un infinitif reste invariable.

Accords du verbe

A − LE VERBE A UN SEUL SUJET

1. *Je voudrais que tu te laves les mains.*
2. *Asseyez-vous et soyez sages !*

1) Règle générale
Le verbe s'accorde en nombre et en personne avec son sujet.

Dans l'exemple 1, *voudrais* s'accorde avec *je* (1re PS), *te laves*, avec *tu* (2e PS).
Lorsque le verbe est au mode impératif (Ex. 2), il s'accorde en fonction du destinataire de l'énoncé (2e PP).

2) Le sujet du verbe est le pronom relatif QUI
3. *Tu es épuisée. C'est moi qui **descendrai** les valises.*
4. *Vous qui n'**avez** jamais **eu** de chance, saisissez-la !*
5. *Tu es la seule personne qui m'**aime** vraiment.*

Le verbe qui a pour sujet QUI s'accorde en nombre et en personne avec l'antécédent du pronom.

Dans l'exemple 3, *descendrai* s'accorde avec *moi* (1re PS), antécédent de QUI.
Dans l'exemple 4, *avez eu* s'accorde avec l'antécédent de QUI, *vous* (2e PP).
Quand cet antécédent est attribut du pronom personnel, c'est lui aussi qui règle l'accord.
Dans l'exemple 5, *aime* s'accorde avec *la seule personne* (3e PS).

Remarque : Si QUI a pour antécédents plusieurs noms ou plusieurs pronoms, voir le point B, p. 39.

3) Le sujet du verbe ÊTRE est le pronom démonstratif CE
6. *C'est ton frère qui a écrit !*
7. *Ce sont tes parents qui ont écrit !*
8. *Ouvrez ! C'est nous !*

III. Le verbe : accords du verbe

• Le verbe *être* se met au singulier si le nom (ou le pronom) attribut est singulier.
Dans l'exemple 6, *est* s'accorde avec *ton frère* (3ᵉ PS).
Le verbe *être* se met au pluriel si le nom (ou le pronom) attribut est pluriel.
Dans l'exemple 7, *sont* s'accorde avec *tes parents* (3ᵉ PP).

• Lorsque l'attribut est de la première ou de la deuxième personnes (du singulier ou du pluriel), l'on garde *est* (Ex. 8).

4) Le sujet du verbe est un nom collectif ou une fraction suivis de leur complément
  9. *Une nuée d'oiseaux **s'abattit** / **s'abattirent** sur les cerisiers.*
10. *La moitié des élèves **était partie** / **étaient partis**.*
11. *Les trois quarts du fromage **avaient disparu** !*

Si le sujet du verbe est un nom collectif ou une fraction suivis de leur complément, le verbe s'accorde avec **celui des deux mots qui semble le plus important** (celui qui évoque l'ensemble – le collectif – ou celui qui désigne les éléments de l'ensemble – le complément) (Ex. 9 et 10).

Toutefois, lorsque le nom de fraction est au pluriel, le verbe se met au pluriel (Ex. 11).

5) Le sujet du verbe est un adverbe de quantité, suivi ou non de son complément
12. *Beaucoup de courage **sera** indispensable pour surmonter cette épreuve.*
13. *Beaucoup de gens que Mamie a connus **ont disparu** aujourd'hui.*
14. *Beaucoup **ont disparu** aujourd'hui.*
15. *Le peu d'efforts que tu as faits **ont été** payants.*
16. *Le peu d'efforts que tu as fait n'**a servi** à rien.*
17. *Moins de deux élèves n'**ont** pas la moyenne.*
18. *Plus d'un élève **avait** bien **révisé**.*

• Lorsque l'adverbe de quantité est un **déterminant indéfini** suivi de son complément, le verbe s'accorde avec ce complément.
Dans l'exemple 12, *sera* s'accorde avec *courage* (3ᵉ PS).
Dans l'exemple 13, *ont disparu* s'accorde avec *gens* (3ᵉ PP).

• Quand l'adverbe de quantité est un **pronom indéfini**, le verbe se met au pluriel.
C'est le cas dans l'exemple 14.

• Avec *le peu de*, le verbe se met au pluriel si l'idée de suffisance domine (Ex. 15), au singulier si c'est l'idée d'insuffisance qui domine (Ex. 16).
Avec *moins de deux*, le verbe se met au pluriel (Ex. 17).
Avec *plus d'un*, le verbe se met au singulier (Ex. 18).

B — LE VERBE A PLUSIEURS SUJETS

1) Règle générale
1. *Catherine et Gilles **partent** en vacances.* (3e PS + 3^e PS = 3^e PP)
2. *Toi et moi **partons** en vacances.*   (2e PS + 1re PS = 1re PP)
3. *Lui et moi **partons** en vacances.*   (3e PS + 1re PS = 1re PP)
4. *Toi et lui **partez** en vacances.*   (2e PS + 3^e PS = 2^e PP)

• Le verbe qui a plusieurs sujets (noms ou pronoms) se met généralement **au pluriel**.

• Si ces sujets sont de même personne, le verbe se met à cette personne (Ex. 1).
Si ces sujets sont de **personnes différentes**, le verbe s'accorde en priorité avec la **première** personne, puis avec la **deuxième** (Ex. 2, 3 et 4).

2) Les sujets sont juxtaposés
5. *Le chant des oiseaux, la couleur du ciel **annonçaient** le printemps.*
6. *Une plainte, un gémissement **se fit** alors entendre.*
7. *Un regard, un sourire, un geste **faisait** plaisir à ce malheureux.*
8. *Nappes, vaisselle, sièges, tout **gisait** sur le sol.*

• Généralement, le verbe ayant plusieurs sujets juxtaposés se met au pluriel (Ex. 5).

• Toutefois, le verbe s'accorde avec le sujet le plus proche lorsque ces sujets sont des synonymes (Ex. 6), ou quand il s'agit d'une gradation (Ex. 7).
Si ces sujets sont repris par un pronom, le verbe s'accorde avec ce pronom. Dans l'exemple 8, *gisait* s'accorde avec *tout*.

III. Le verbe : accords du verbe

• Si ces sujets sont de personnes différentes, le verbe se met au pluriel et à la personne prioritaire (voir 1).

3) Les sujets sont coordonnés par ET
  9. *Mon frère et son amie **ont obtenu** de brillants résultats.*
10. *Partir et rester me **paraît** également difficile.*
11. *J'ai invité Pierre et Antoine ; l'un et l'autre **sont venus**.*

• Le verbe ayant plusieurs sujets coordonnés par ET se met au **pluriel** (Ex. 9).

• Si ces sujets sont de personnes différentes, le verbe se met au pluriel et à la personne prioritaire (voir 1).

• Lorsque le verbe a pour sujets des termes neutres (pronoms neutres, infinitifs, propositions) coordonnés, il se met généralement au singulier (Ex. 10).

• Quand le verbe a pour sujet la locution pronominale *l'un(e) et l'autre*, il se met au pluriel (Ex. 11).

4) Les sujets sont coordonnées par NI ou OU
12. *Papa ou toi **irez** au marché.*
13. *Ni Papa ni toi n'**irez** au marché.*
14. *Papa ou toi **prendra** le volant.*
15. *Ni Papa ni toi ne **prendra** le volant.*

• Si l'un et l'autre sujets peuvent faire l'action du verbe, ce dernier se met au **pluriel** (Ex. 12 et 13).

• Si un seul des sujets peut faire l'action du verbe, ce dernier se met au **singulier** (Ex. 14 et 15).

• Si ces sujets sont de personnes différentes, le verbe se met à la personne prioritaire (voir 1).

• Quand le verbe a pour sujets les locutions *l'un(e) ou l'autre* ou *ni l'un(e) ni l'autre*, il s'accorde selon la même règle.

5) Les sujets sont subordonnés par COMME, AINSI QUE, DE MÊME QUE...
16. *Le néerlandais comme l'allemand **sont** des langues germaniques.*
17. *Ton teint, ainsi que le mien, **est** d'une pâleur extrême.*

• Le verbe se met au **pluriel** quand la locution correspond à *ET* (Ex. 16).

• Il se met au **singulier** quand elle garde sa valeur de **comparaison** (Ex. 17).

• Si ces sujets sont de personnes différentes, le verbe se met à la personne prioritaire (voir 1).

- IV -
Le nom et l'adjectif qualificatif

Formation du féminin et du pluriel

A – FORMATION DU FÉMININ

1) Règle générale

On obtient le féminin d'un nom ou d'un adjectif qualificatif en ajoutant un -E à la forme masculine.

Ex. : *un ami > une amie ; petit > petite.*

Sont concernés par cette règle les noms et adjectifs qualificatifs se terminant :

• par une voyelle autre que -E
Ex. : *un élu > une élue ; bleu > bleue.*

Exceptions :

– Les mots en -EAU ont un féminin en -ELLE.
Ex. : *un agneau > une agnelle ; beau > belle.*
Sauf : *un taureau ; un veau* (voir 7, p. 50.)

– Les adjectifs qualificatifs en -GU ont un féminin en -GUË.
Ex. : *aigu > aiguë ; ambigu > ambiguë.*

– Les mots en -OU (autres que *hindou > hindoue, flou > floue* et *andalou > andalouse*) ont un féminin en -OLLE.
Ex. : *un fou > une folle ; mou > molle.*

– Les participes passés (employés ou non comme adjectifs) en -Û ont un féminin en -UE.
Ex. : *dû > due.*

– Un certain nombre de mots ont des féminins irréguliers.
Ce sont : *coi (coite), dieu (déesse), esquimau (esquimaude), favori (favorite), hébreu (hébraïque), rigolo (rigolote).*

• par -AIN
Ex. : *un châtelain > une châtelaine ; vain > vaine.*
Exceptions : *un copain > une copine ; un poulain ; un parrain* (voir 7)

• par -AIS
Ex. : *un Hollandais > une Hollandaise ; niais > niaise.*
Exceptions : *épais > épaisse ; frais > fraîche.*

IV. Le nom : formation du féminin et du pluriel

- par -AL
  Ex. : *un maréchal > une maréchale ; fatal > fatale.*

- par -AN
  Ex. : *un Gitan > une Gitane ; persan > persane.*
  Exceptions : *Jean > Jeanne ; (un) paysan > (une) paysanne ; (un) chouan > (une) chouanne.*

- par -AND
  Ex. : *un marchand > une marchande ; grand > grande.*

- par -ANT
  Ex. : *un commerçant > une commerçante ; méchant > méchante.*

- par -ARD
  Ex. : *un communard > une communarde ; bavard > bavarde.*
  Exception : *un canard* (voir 7)

- par -AT
  Ex. : *un avocat > une avocate ; délicat > délicate.*
  Exceptions : *un chat > une chatte ; un verrat* (voir 7)

- par -AUD
  Ex. : *un nigaud > une nigaude ; chaud > chaude.*

- par -ER
  Ex. : *un fermier > une fermière ; léger > légère.*

  Attention : L'on remarque, pour ces mots, l'adjonction d'un accent grave sur le *-E* de l'avant-dernière syllabe.

  Exceptions : *un speaker > une speakerine ; un bélier ; un lévrier ; un sanglier* (voir 7)

- par -EUR
  Ne sont concernés que onze mots. Ce sont :

un prieur > une prieure	*meilleur > meilleure*
antérieur > antérieure	*mineur > mineure*
extérieur > extérieure	*postérieur > postérieure*
inférieur > inférieure	*supérieur > supérieure*
intérieur > intérieure	*ultérieur > ultérieure*
majeur > majeure	

IV. Le nom : formation du féminin et du pluriel

Les autres mots en -*EUR* changent de suffixe (voir **5**, b et c, p. 48-49.)
Pour les mots en -*SEUR* et -*SSEUR*, voir **5**, d, p. 49.
Pour *un monsieur*, voir **7**, p. 50.

• par -*IN*
  Ex. : *un cousin > une cousine ; mutin > mutine.*

  Exceptions : *bénin > bénigne ; malin > maligne.*

• par -*IS*
  Ex. : *un marquis > une marquise ; gris > grise.*

  Exception : *métis > métisse.*

• par -*IT*
  Ex. : *cuit > cuite.*

• par -*OIS*
  Ex. : *un bourgeois > une bourgeoise ; narquois > narquoise.*

• par -*OND*
  Ex. : *un blond > une blonde ; rubicond > rubiconde.*

• par -*OT*
  Ex. : *un bigot > une bigote ; idiot > idiote.*

  Exceptions : *(un) sot > (une) sotte ; pâlot > pâlotte ; vieillot > vieillotte.*

• par -*RS*
  Ex. : *tors > torse.*

  Exceptions : *tiers > tierce ; un jars* (Voir **7**, p. 50)

2) Les noms et adjectifs qualificatifs se terminant par -E (épicènes)
Le plus souvent, ils ne changent pas de forme, au féminin.
  Ex. : *un élève > une élève ; magnifique > magnifique.*

Remarque : Seul le déterminant permet, dans ce cas, de connaître le genre du nom.

Toutefois, un certain nombre de mots se terminant par -*E* ont un féminin en -*ESSE* (voir **5**, a, p. 48).
D'autres ont un féminin radicalement différent (voir **7**, p. 50).

IV. Le nom : formation du féminin et du pluriel

3) Les noms et adjectifs qualificatifs qui redoublent la consonne finale

L'adjonction d'un -E entraîne un redoublement de la consonne finale pour :

a) ***Les mots en -EL, -EIL, -IL et -UL***

Ex. : *un colonel > une colonelle ; réel > réelle ; pareil > pareille ; gentil > gentille ; nul > nulle.*

> **Remarque :** Les mots en *-AL* ne redoublent pas la consonne finale. (Voir 1, p. 44)

b) ***Les mots en -EN et -ON***

Ex. : *un lycéen > une lycéenne ; italien > italienne ; un lion > une lionne ; bon > bonne.*

> **Remarque :** Les noms en *-AIN*, *-AN* et *-IN* ne doublent pas le *-N* final, sauf *Jean > Jeanne, chouan > chouanne* et *paysan > paysanne.* (Voir 1)

c) ***Les mots en -ET***

Ex. : *un cadet > une cadette ; fluet > fluette.*

Exceptions : Les mots en *-ET* suivants ont un féminin en *-ÈTE* :

un préfet > une préfète	*discret > discrète*
complet > complète	*indiscret > indiscrète*
incomplet > incomplète	*inquiet > inquiète*
concret > concrète	*replet > replète*
désuet > désuète	*secret > secrète*

d) ***Les mots en -AS et -OS***

Ex. : *las > lasse ; gros > grosse.*

Exceptions : *ras > rase ; dispos > dispose ; héros > héroïne.*

4) Les noms et adjectifs qualificatifs qui changent de consonne finale

L'adjonction d'un -E entraîne une modification de la consonne finale pour.

IV. Le nom : formation du féminin et du pluriel

a) Les mots se terminant par -C, qui devient -QU
Ex. : un Turc > une Turque ; public > publique.

Exceptions : un archiduc > une archiduchesse ; un duc > une duchesse ; un Grec > une Grecque ; blanc > blanche ; franc > franche ; sec > sèche.

b) Les mots se terminant par -F, qui devient -V
Ex. : un veuf > une veuve ; neuf > neuve.

c) Les adjectifs se terminant par -G, qui devient -GU
Ex. : long > longue.

d) Les noms se terminant par -P, qui devient -V
Ex. : un loup > une louve.

e) Les mots se terminant par -X, qui devient -S
Ex. : un époux > une épouse ; jaloux > jalouse.

Exceptions : roux > rousse ; doux > douce ; faux > fausse ; vieux > vieille.

5) **Les noms et adjectifs qualificatifs dont le féminin s'obtient par adjonction ou modification d'un suffixe**

a) Les noms qui se terminent par -E (ou -É) et qui ne suivent pas la règle générale prennent très généralement le suffixe -ESSE
Ex. : un âne > une ânesse ; un comte > une comtesse ; un maître > une maîtresse.

Attention :
• On remarquera que l'adjonction du suffixe -ESSE entraîne parfois une modification orthographique, en l'occurrence, l'apparition d'un accent aigu, dans poétesse ou prophétesse.
• Lorsqu'ils sont adjectifs qualificatifs, la plupart de ces mots suivent la règle générale (les formes féminine et masculine sont identiques).
Ex. : pauvre > pauvre ; mulâtre > mulâtre...

b) La plupart des mots en -EUR changent de suffixe : -EUR devient -EUSE
Ex. : un voleur > une voleuse ; trompeur > trompeuse.

Exceptions :

— Les onze mots en *-EUR* qui suivent la règle générale. (Voir 1, p. 42.)

— Certains mots en *-EUR*, dont le suffixe devient *-ERESSE*.
   Ex. : *un enchanteur > une enchanteresse ; un pécheur > une pécheresse.*

— Les noms *ambassadeur* et *empereur*, qui ont pour féminin *ambassadrice* et *impératrice.*

c) **Les mots en *-TEUR* prennent le suffixe *-TRICE***
   Ex. : *un organisateur > une organisatrice*
   un agriculteur > une agricultrice
   un inspecteur > une inspectrice
   émetteur > émettrice
   un expéditeur > une expéditrice
   un instituteur > une institutrice.

   Exception : *un docteur > une doctoresse.*

d) **Les noms en *-SEUR* et *-SSEUR* issus du latin n'ont pas de féminin**
   Ex. : *un censeur, un défenseur, un successeur...*

6) **Spécificités de certains éléments constitutifs des noms ou adjectifs qualificatifs composés**

a) **GRAND *ne varie qu'en nombre, sauf dans une grande-duchesse***
   Ex. : *une grand-mère ; une grand-messe.*

b) **DEMI, MI, SEMI et NU, *suivis d'un nom ou d'un adjectif qualificatif (auxquels ils sont rattachés par un trait d'union) restent invariables***
   Ex. : *une demi-lune ; une voyelle demi-ouverte ; une porte mi-close ; une semi-voyelle ; une arme semi-automatique ; une fille nu-tête.*

c) **NOUVEAU, *lorsqu'il fait partie d'un nom commun, varie, sauf dans un(e) nouveau-né(e)***
   Ex. : *un nouveau-venu > une nouvelle-venue ; un nouveau-né > une nouveau-née.*

IV. Le nom : formation du féminin et du pluriel

Quand il fait partie d'un adjectif et qu'il est devant un participe passé, *nouveau* équivaut à un adverbe et reste invariable.
    Ex. : *un garçon nouveau-venu > une fille nouveau-venue ; un garçon nouveau-né > une fille nouveau-née.*
(Voir aussi C – Cas où l'adjectif qualificatif est invariable, p. 60.)

7) Les noms et adjectifs qualificatifs n'ayant pas de féminin grammatical
Certains mots ne peuvent être mis au féminin.

• C'est le cas, pour les adjectifs, de : *aquilin, benêt, bot, grégeois, pers, saur, vélin* et, pour les noms, de : *peintre, vedette, moustique, souris...*

• Pour les noms, l'opposition des genres est parfois marquée par des mots radicalement différents.
    Ex. : *un bélier > une brebis ; un lièvre > une hase ; un frère > une sœur ; un oncle> une tante.*

B – FORMATION DU PLURIEL

1) Règle générale
On obtient le pluriel d'un nom ou d'un adjectif qualificatif **en ajoutant un -S** à la forme du singulier.
    Ex. : *un ami > des amis ; petit > petits.*

2) Les noms et les adjectifs qualificatifs qui se terminent par -S, -X ou -Z au singulier
Ils gardent la même forme, au pluriel.
    Ex. : *une souris > des souris ; las > las ; un prix > des prix ; soucieux > soucieux ; un nez > des nez.*

3) Les noms et les adjectifs qualificatifs qui prennent -X, au pluriel

a) Sept noms en -OU prennent -X, au pluriel
Ce sont : *bijou, caillou, chou, genou, hibou, joujou, pou.*
Les autres noms et les adjectifs qualificatifs en -OU prennent -S.

IV. Le nom : formation du féminin et du pluriel

b) **La plupart des noms et adjectifs qualificatifs en** -AU, -EAU, -EU, -ŒU

un tuyau > des tuyaux	*un vœu > des vœux*
un manteau > des manteaux	*beau > beaux*
un cheveu > des cheveux	*hébreu > hébreux*

Exceptions : Les mots suivants prennent -S :

un landau > des landaus	*un pneu > des pneus*
un sarrau > des sarraus	*un lieu > des lieus* (poisson)
(un) bleu > (des) bleus	*feu > feus* (décédé)

Remarques :
• Le pluriel de *aïeul* est *aïeuls*, au sens de « grands-pères » et *aïeux*, au sens de « ancêtres ».
• Le pluriel de *ail* est *ails* ou *aulx*.
• Le pluriel de *ciel* est *ciels* (multiplicité) ou *cieux* (collectif ou sens religieux).
• Le pluriel de *œil* est généralement *yeux*, sauf dans les mots composés comme *œils-de-bœuf, œils-de-perdrix, œils-de-chat*...

4) **Les noms et les adjectifs qualificatifs qui prennent** -AUX, **au pluriel**

a) **Les noms et adjectifs qualificatifs en** -AL **prennent** -AUX
Ex. : *un cheval > des chevaux ; médiéval > médiévaux.*

Exceptions :

un bal > des bals	*banal > banals*
un cal > des cals	*bancal > bancals*
un carnaval > des carnavals	*cérémonial > cérémonials*
un chacal > des chacals	*fatal > fatals*
un festival > des festivals	*natal > natals*
un récital > des récitals	*naval > navals*
un régal > des régals	

b) Dix noms en -AIL *prennent* -AUX

Ce sont :

un aspirail > des aspiraux	un gemmail > des gemmaux
un bail > des baux	un soupirail > des soupiraux
un corail > des coraux	un travail > des travaux
un émail > des émaux	un vantail > des vantaux
un fermail > des fermaux	un vitrail > des vitraux

Les autres noms et les adjectifs qualificatifs en -AIL prennent un -S.

5) Les noms et les adjectifs qualificatifs composés

a) Si les deux éléments sont soudés, les règles des noms ou adjectifs simples sont appliquées
   Ex. : *un bonjour* > des bonjours ; *un portemanteau* > des porte-manteaux.

Remarque : On dira et on écrira toutefois des *messieurs*, des *mesdames*, des *mesdemoiselles*, des *gentilshommes* et des *bonshommes*.

b) Si les deux éléments sont rattachés par un trait d'union, ils ne prennent la marque du pluriel que s'il s'agit de noms ou d'adjectifs qualificatifs (et si le sens s'y prête)
   Ex. : *un chef-lieu* > des chefs-lieux (nom + nom) ; *un sourd-muet* > des sourds-muets (adjectif + adjectif).

   Ex. : *aigre-doux* > aigres-doux (adjectif + adjectif).

Si l'un des éléments est un verbe conjugué, un verbe à l'infinitif, une préposition, un adverbe, un préfixe..., cet élément ne varie pas.

   Ex. : *un couvre-lit* > des couvre-lits.   (verbe conjugué + nom)
   un laissez-passer > des laissez-   (verbe conjugué + infinitif)
   passer.
   un à-côté > des à-côtés.   (préposition + nom)
   un haut-parleur > des haut-   (adverbe + nom)
   parleurs.

Ex. : *ultraviolet > ultraviolets.*   (préfixe + adjectif)
   anglo-saxon > anglo-saxons.   (préfixe + adjectif)
   nouveau-né > nouveau-nés.   (adverbe + adjectif)
   avant-dernier > avant-derniers.   (préposition + adjectif)

Toutefois, si le second élément est complément du nom du premier, il reste invariable.

Ex. : *un timbre-poste > des timbres-poste* (« de la poste ») ; *un arc-en-ciel > des arcs-en-ciel.*

c) Spécificités de certains éléments constitutifs des noms et adjectifs composés

• GARDE se met au pluriel si le nom désigne une personne ; si le nom désigne un objet, GARDE reste invariable.

Ex. : *un garde-fou > des garde-fous* (objet) ; *un garde-malade > des gardes-malades* (personne).

• GRAND ne varie qu'en nombre sauf dans *des grandes-duchesses.*

Ex. : *un grand-père > des grands-pères ; une grand-route > des grands-routes.*

• DEMI, MI, SEMI et NU, suivis d'un nom ou d'un adjectif qualificatif (auxquels ils sont rattachés par un trait d'union), restent invariables.

Ex. : *une demi-lune > des demi-lunes ; un œil demi-ouvert > des yeux demi-ouverts.*
   une porte mi-close > des portes mi-closes.
   une semi-voyelle > des semi-voyelles ; une arme semi-automatique > des armes semi-automatiques.
   un homme nu-pieds > des hommes nu-pieds.

• NOUVEAU, lorsqu'il fait partie d'un nom commun, varie, sauf dans *des nouveau-né(e)s.*

Ex. : *un nouveau-venu > des nouveaux-venus ; un nouveau-né > des nouveau-nés.*

Quand il fait partie d'un adjectif qualificatif et qu'il est devant un participe passé, *nouveau* équivaut à un adverbe et reste invariable.

Ex. : *un garçon nouveau-venu > des garçons nouveau-venus ; une fille nouveau-née > des filles nouveau-nées.*

(Voir Cas où l'adjectif qualificatif est invariable, p. 60.
Pour l'accord des adjectifs de couleur, voir p. 61.)

6) Les noms et adjectifs qualificatifs d'origine étrangère

La tendance est d'intégrer les noms d'origine étrangère dans la langue française et donc d'y ajouter -S, pour obtenir le pluriel.

Ex. : *un scénario* > *des scénarios* ; *un sandwich* > *des sandwichs*.

Toutefois, certains mots peuvent garder la marque du pluriel de la langue d'origine.

Ex. : *un maximum* > *des maxima*.

Les locutions d'origine étrangère sont invariables.

Ex. : *un nota-bene* > *des nota-bene* ; *un post-scriptum* > *des post-scriptum*.

Les adjectifs qualificatifs d'origine étrangère sont, eux aussi, généralement invariables.

Ex. : *une fille snob* > *des filles snob* ; *un air pop* > *des airs pop*.

7) Les noms et adjectifs qualificatifs occasionnels

Les mots employés comme noms ou comme adjectifs restent invariables.

Ex. : *Vos huit sont mal écrits.*   (déterminant numéral nominalisé)

Refaites correctement ces f.   (lettre nominalisée)

Ex. : *Ce sont des gens bien.*   (adverbe adjectivé)

Voici des meubles Renaissance.   (nom propre adjectivé)

Il a vu de super spectacles.   (préfixe adjectivé)

(Pour le pluriel des adjectifs de couleur occasionnels, voir p. 62.)

8) Les noms propres

Les noms propres ne varient pas, au pluriel, lorsqu'il s'agit de noms :

– de personnes
   Ex. : *Il y avait trois Emmanuelle dans ma classe.*

– de familles
   Ex. : *Les Dupont n'ont pas encore emménagé.*

– d'auteurs
   Ex. : *As-tu lu les deux derniers Nothomb ?*

– de marques
Ex. : *Je voudrais trois Perrier.*

– d'ouvrages
Ex. : *Ma grand-mère possède deux* Odyssée.

– de revues
Ex. : *Un tas de Géo reposait sur le canapé.*

Toutefois, certains noms propres peuvent se mettre au pluriel, lorsqu'il s'agit de noms :
– de familles illustres
Ex. : *les Bourbons...*

– d'habitants de pays, de régions, de villes...
Ex. : *les Belges, les Wallons, les Bruxellois...*

– de lieux toujours au pluriel
Ex. : *les Flandres, les Ardennes...*

– de personnages types, si on les écrit avec une minuscule
Ex. : *les harpagons, les gavroches...*

Accords de l'adjectif qualificatif

A – L'ADJECTIF QUALIFICATIF SE RAPPORTE À UN SEUL NOM OU PRONOM

1) **Règle générale**
1. Elle acheta des fleurs *fraîches.*
2. Elle est *gentille.*
3. Elle avait l'air *gentille.*
4. Soyez *gentilles.*
5. Qu'elle reste était *inconcevable. Mais partir semblait aussi* **difficile.**

L'adjectif qualificatif s'accorde **en genre et en nombre** avec le nom ou le pronom auquel il se rapporte.

Dans l'exemple 1, *fraîches* s'accorde avec *fleurs* (féminin pluriel).
Dans l'exemple 2, *gentille* s'accorde avec *elle* (féminin singulier).

IV. Le nom : accords de l'adjectif qualificatif

Avec *avoir l'air*, l'adjectif qualificatif s'accorde souvent avec le sujet du verbe.
C'est le cas dans l'exemple 3 : *gentille* s'accorde en genre et en nombre avec *elle* (féminin singulier).

Remarque : L'adjectif qualificatif peut s'accorder avec *air*, si le sujet du verbe est un nom animé. (*Marie avait l'air épanoui.*)

Dans certains cas, c'est la situation d'énonciation qui nous aidera à faire l'accord.
Dans l'exemple 4, l'on suppose que le destinataire est un ensemble féminin.

Remarque : Quand l'adjectif qualificatif se rapporte à une proposition ou à un verbe à l'infinitif, il reste invariable (Ex. 5).

2) **L'adjectif qualificatif se rapporte à un pronom dont le genre et/ou le nombre est indéterminé**
   6. *Vous êtes **gentilles**.*
   7. *On n'est jamais **sûr** de rien.*
   8. *Éric et moi, on est bien **contents** que vous veniez.*
   9. *Rien n'était **prêt**.*
   10. *Ce fut **merveilleux**.*
   11. *Ce sont mes parents qui sont **contents** !*

Si le pronom est NOUS ou VOUS, c'est le contexte qui nous dira s'il faut mettre l'adjectif qualificatif au masculin ou au féminin.
Dans l'exemple 6, l'on suppose que *vous* évoque un ensemble féminin.

Si l'adjectif qualificatif se rapporte au pronom ON, deux cas sont possibles :

– soit ON est pronom indéfini et l'adjectif qualificatif reste au masculin singulier (Ex. 7).

– soit ON est pronom personnel et équivaut à *nous* ; le verbe reste au singulier, mais l'adjectif qualificatif, lui, se met au pluriel (masculin ou féminin, selon le contexte) (Ex. 8).

IV. Le nom : accords de l'adjectif qualificatif

Si l'adjectif qualificatif se rapporte à un pronom indéfini comme QUELQUE CHOSE, RIEN, PERSONNE..., il reste au masculin singulier (Ex. 9).

S'il s'agit du pronom démonstratif neutre CE (c'), l'adjectif qualificatif reste aussi au masculin singulier (Ex. 10).

Si l'adjectif qualificatif se rapporte au pronom relatif QUI, c'est l'antécédent de ce dernier qui réglera l'accord.
Dans l'exemple 11, l'adjectif qualificatif *contents* s'accorde avec *parents* (masculin pluriel), antécédent de QUI.

3) L'adjectif qualificatif se rapporte à un nom collectif ou une fraction suivis de leur complément
12. *Une nuée d'oiseaux **blancs** s'abattit sur l'eau.*
13. *La moitié du fromage était **verte / vert** !*
14. *Les trois quarts du fromage étaient **verts** !*

Lorsque l'adjectif qualificatif se rapporte à un nom collectif suivi de son complément, il s'accorde avec ce dernier.
Dans l'exemple 12, *blancs* s'accorde avec *oiseaux* (masculin pluriel).
En effet, si l'adjectif qualificatif se rapporte au nom collectif, il se place, par souci de clarté, entre ce dernier et son complément (*Une nuée blanche d'oiseaux...*).

Quand l'adjectif qualificatif se rapporte à un nom de fraction suivi de son complément, il peut s'accorder avec l'un ou l'autre des éléments (Ex. 13).
Toutefois, si le nom de fraction est pluriel, l'adjectif qualificatif s'accorde avec lui (Ex. 14).

4) L'adjectif qualificatif se rapporte à un adverbe de quantité suivi ou non de son complément
15. *Beaucoup de gens sont **égoïstes**.*
16. *Beaucoup sont **égoïstes**.*

Que l'adverbe de quantité soit employé comme déterminant ou comme pronom indéfini, l'adjectif qualificatif se met au pluriel (masculin ou féminin, selon le contexte).

B – L'ADJECTIF QUALIFICATIF SE RAPPORTE À PLUSIEURS NOMS OU PRONOMS

1) Règle générale

1. *La petite fille avait un cartable, un plumier, un agenda* **neufs**.
2. *La petite fille avait un cartable et une trousse* **neufs**.

• L'adjectif qualificatif se rapportant à plusieurs noms ou pronoms se met généralement au **pluriel**.

• Si ces noms ou pronoms sont de même genre, l'adjectif qualificatif prend ce genre.
Dans l'exemple 1, *neufs* se rapporte à *cartable*, *plumier* et *agenda* (tous trois masculins) et se met donc au masculin pluriel.

Si ces noms ou pronoms sont de genres différents, l'adjectif qualificatif se met au masculin pluriel.
Dans l'exemple 2, *neufs* se rapporte à *cartable* (masculin singulier) et *trousse* (féminin singulier) et se met au masculin pluriel.

2) Les noms ou pronoms sont juxtaposés

3. *La petite fille avait un cartable, un plumier, un agenda* **neuf**.
4. *Une plainte, un gémissement* **terrible** *se fit alors entendre*.
5. *Un regard, un sourire, un geste* **amical** *faisait plaisir à ce malheureux*.
6. *Nappes, serviettes, assiettes, tout était* **violet**.

• L'adjectif qualificatif se rapportant à plusieurs noms ou pronoms juxtaposés se met généralement au **pluriel** (Ex. 1).

Remarque : Si ces noms ou pronoms sont de genres différents, l'adjectif qualificatif se met au masculin pluriel (voir 1).

• Toutefois, si l'adjectif qualificatif ne se rapporte qu'à un seul des noms ou pronoms, il prend le genre et le nombre de ce dernier.
Dans l'exemple 3, *neuf* ne se rapporte qu'à *agenda* (masculin singulier).

• L'adjectif qualificatif s'accorde avec le nom ou le pronom le plus proche, lorsque les noms ou pronoms sont synonymes (Ex. 4), ou quand ils forment une gradation (Ex. 5).

IV. Le nom : accords de l'adjectif qualificatif

Si les noms ou les pronoms coordonnés sont repris par un pronom, l'adjectif qualificatif s'accorde avec ce pronom.
Dans l'exemple 6, *violet* s'accorde avec *tout*.

3) Les noms ou pronoms sont coordonnés par ET
7. *Marie et Marthe sont **contentes**.*
8. *Stéphane et Marthe sont **contents**.*
9. *Conjuguez ce verbe aux **première** et **deuxième** personnes du singulier de l'indicatif présent.*

• L'adjectif qualificatif se rapportant à plusieurs noms ou pronoms coordonnés par *ET* se met au **pluriel**.

• Si ces noms ou pronoms sont de même genre, l'adjectif qualificatif prend ce genre (Ex. 7).
Si ces noms ou pronoms sont de genres différents, l'adjectif qualificatif se met au masculin pluriel. C'est le cas dans l'exemple 8.

Attention : Si plusieurs adjectifs qualificatifs se rapportent à un même nom ou pronom, ils prennent le genre de ce nom ou pronom mais restent au singulier.

Dans l'exemple 9, *première et deuxième personnes* équivaut en fait à *première personne et deuxième personne*.

4) Les noms ou pronoms sont coordonnés par NI ou OU
10. *Ils admiraient cette statue ou cette peinture **anciennes**.*
11. *Ils n'admiraient ni cette statue ni cette peinture **anciennes**.*
12. *Ils admiraient cette statue ou cette peinture **ancienne**.*
13. *Ils n'admiraient ni cette statue ni cette peinture **ancienne**.*

• Lorsque les noms ou pronoms sont coordonnés par *NI* ou *OU*, l'adjectif qualificatif se met au pluriel si les deux noms ou pronoms sont concernés.
C'est le cas dans les exemples 10 et 11, où il y a accord avec *statue* et avec *peinture*.

Remarque : Si ces noms ou pronoms sont de genres différents, l'adjectif qualificatif se met au masculin pluriel (voir 1).

IV. Le nom : accords de l'adjectif qualificatif

Si l'adjectif qualificatif ne se rapporte qu'au dernier nom ou pronom, il s'accorde avec lui.

Dans les exemples 12 et 13, l'on considère que seule la *peinture* est *ancienne*.

5) Les noms ou pronoms sont subordonnés par COMME, AINSI QUE, DE MÊME QUE...

14. *Le néerlandais comme l'allemand sont **difficiles** à apprendre.*
15. *Ton teint, ainsi que le mien, est **pâle**.*

• L'adjectif qualificatif se met au pluriel quand la locution conjonctive correspond à ET (Ex. 14).

Remarque : Si ces noms ou pronoms sont de genres différents, l'adjectif qualificatif se met au masculin pluriel (voir 1).

• Il se met au singulier lorsque la locution garde pleinement sa valeur de comparaison (Ex. 15).

C – CAS OÙ L'ADJECTIF QUALIFICATIF EST INVARIABLE

• *BIEN* et *MAL* employés comme adverbes sont invariables.
   Ex. : *une femme bien ; des films pas mal.*

• *BAS, BON, CHER, DROIT, FAUX, FORT* et *HAUT*... sont adverbes et invariables quand ils accompagnent un verbe : *chanter / parler... bas ; sentir bon ; coûter / valoir / payer... cher ; marcher / rester / se tenir... droit ; chanter faux ; parler / crier... fort, se faire fort de... ; chanter / parler / monter haut.*

• *COURT* est invariable dans les expressions *couper (ses cheveux) court, demeurer / rester court.*

• *DEMI, SEMI, MI* et *NU* sont invariables lorsqu'ils précèdent un nom commun ou un adjectif qualificatif (auxquels ils sont rattachés par un trait d'union).
   Ex. : *une demi-heure ; nu-tête.*

Quand ils suivent le nom commun ou l'adjectif, ils varient.
   Ex. : *une heure et demie ; tête nue.*

• *FEU* (décédé) ne varie que s'il est précédé d'un déterminant et suivi d'un nom commun.
Ex. : *La feue Madame Dupont*, mais *Feu Madame Dupont*.

• *FIN* placé devant un adjectif qualificatif et *PLEIN* devant un groupe nominal sont invariables.
Ex. : *Ils sont fin prêts ; J'en ai plein mes valises.*

• *NOUVEAU* reste invariable devant le participe.
Ex. : *des bébés nouveau-nés.*

Remarque : Lorsque *NOUVEAU* fait partie d'un nom commun, il varie, sauf dans *une nouveau-née, des nouveau-nés.*
Ex. : *des nouveaux-mariés.*

• *POSSIBLE* avec « *le plus* » et « *le moins* » reste invariable.
Ex. : *Cueillez le plus de fleurs possible ; Faites le moins de fautes possible.*

• *SAUF* (excepté) reste invariable.
Ex. : *J'ai tout pris, sauf la grosse valise.*

Remarque : Lorsqu'il signifie « indemne », *sauf* varie.

Accords de l'adjectif qualificatif de couleur

A – L'ADJECTIF DE COULEUR SIMPLE

Il suit la règle générale d'accord de l'adjectif qualificatif et s'accorde donc en genre et en nombre avec le mot auquel il se rapporte.
Ex. : *des rubans bleus ; des ficelles bleues.*

Attention : On écrira *des rubans bleus et verts* s'il y a des rubans bleus et des rubans verts, et *des rubans bleu et vert* si chaque ruban est bleu et vert.

IV. Le nom : l'adjectif qualificatif de couleur

B – L'ADJECTIF DE COULEUR COMPOSÉ

L'adjectif de couleur composé, avec ou sans trait d'union, reste invariable lorsqu'une couleur est définie par deux mots.
   Ex. : *des yeux bleu-vert ; des rubans bleu foncé.*

C – L'ADJECTIF DE COULEUR INVARIABLE

Les adjectifs qualificatifs de couleur restent invariables quand il s'agit de noms employés adjectivement.
Ex. : *des pulls marron.*   (nom commun adjectivé)
   des crayons orange.   (nom commun adjectivé)

Attention : *écarlate, mauve, pourpre* et *rose* varient.

Remarque : L'adjectif *kaki*, d'origine étrangère, est invariable.

- V -
Les homophones

V. Les homophones : ça – çà – sa

A – À – ah !

1. *Mon frère **a** bientôt vingt ans.*
2. *J'adore aller **à** la piscine.*

• **A** est la troisième personne du singulier de l'indicatif présent du **verbe avoir**.
On peut donc le remplacer par « avait ».
Dans l'exemple 1, l'on pourrait dire : *Mon frère avait bientôt vingt ans.*
(**As** = 2ᵉ PS de l'indicatif présent)

• **À** est une **préposition**.
C'est un mot **invariable** qui sert à construire des compléments.
On ne peut pas le remplacer par « avait ».
Dans l'exemple 2 : *J'adore aller ~~avait~~ la piscine.*

• **Ah !** est une **interjection**.
C'est un mot **invariable**, qui traduit un sentiment vif, et notamment le rire.
Il est très souvent suivi d'un point d'exclamation.

ÇA – ÇÀ – SA

1. ***Ça** n'a aucune importance ; **ça** finira bien par s'arranger.*
2. *Il y avait, **çà** et là, des tas de feuilles mortes.*
3. *Mélanie ressemble beaucoup à **sa** mère et à **sa** grand-mère.*

• **ÇA** est un **pronom démonstratif** neutre, la contraction de *cela*.
Il remplace un élément présent dans le discours ou dans la situation d'énonciation.
On peut le remplacer par « cela ».
Dans l'exemple 1, l'on pourrait dire : *Cela n'a aucune importance ; cela finira bien par s'arranger.*
On notera que, quand il est sujet, ça est **suivi d'un verbe au singulier**.

• ÇÀ est un **adverbe de lieu**.
Aujourd'hui, on ne l'utilise plus que dans l'expression *çà et là*.
On peut le remplacer par « *ici* ».
Dans l'exemple 2, l'on pourrait dire : *Il y avait, ici et là, des tas de feuilles mortes.*

• SA est un **déterminant possessif** féminin singulier de la troisième personne du singulier.
Il précède donc toujours un nom commun féminin singulier et correspond à « *la sienne* ».
Dans l'exemple 3, *sa* accompagne tantôt *mère*, tantôt *grand-mère*.

> Remarque : Devant un nom commun féminin commençant par une voyelle ou un *h* muet, on utilise *son* et pas *sa*.
>   Ex. : ~~sa amie~~ > *son* amie ; ~~sa habitude~~ > *son* habitude.

CE – CE QUI/QUE – CEUX QUI/QUE – SE

1. *Ce roman est vraiment exceptionnel.*
2. *Ce qui me chagrine, c'est que tu ne viennes pas.*
3. *Je te demande ce que tu veux que je fasse.*
4. *Est-ce toi qui viens de m'appeler ?*
5. *Ceux qui mangent à la cantine peuvent sortir.*
6. *Il se leva, se rasa et se vêtit de son plus beau costume.*

• CE employé seul (sans *qui/que*) est un **déterminant démonstratif** masculin singulier.
Il évoque un élément présent dans le discours ou dans la situation d'énonciation.
Il précède donc toujours un nom commun masculin singulier commençant par une consonne.
Dans l'exemple 1, *ce* accompagne le nom commun *roman*.

> Remarque : Devant un nom masculin singulier commençant par une voyelle ou un *h* muet, on utilise *cet*.
>   Ex. : ~~ce arbre~~ > *cet* arbre ; ~~ce habit~~ > *cet* habit.

Suivi de *qui* ou *que*, ce est un **pronom démonstratif neutre**.

V. Les homophones : cela — ceux-là

• Il est l'antécédent de la proposition subordonnée relative introduite par le pronom relatif *qui* ou *que* (Ex. 2).
• Il peut, par ailleurs, faire partie de la locution *ce qui / que* et introduire une proposition subordonnée interrogative indirecte (Ex. 3).
• Il apparaît aussi dans la locution interrogative *est-ce ?* (Ex. 4).

• **CEUX** toujours suivi de *qui* ou *que* est un **pronom démonstratif masculin pluriel**.
Il est l'antécédent de *qui* ou *que* et désigne un groupe de personnes ou d'objets.
Il est toujours le **sujet d'un verbe au pluriel**, et peut être remplacé par « *celles* ».
Dans l'exemple 5, l'on pourrait dire : <u>Celles</u> *qui mangent à la cantine peuvent sortir.*

• **SE** est la **forme réfléchie du pronom personnel** de la troisième personne (du singulier ou du pluriel).
On le trouve donc toujours devant un verbe (qui est alors dit « pronominal »).
Il peut être remplacé par « *me* » ou « *te* ».
Dans l'exemple 7, se précède *leva*, *rasa* et *vêtit* et l'on pourrait dire : *Je <u>me</u> levai, <u>me</u> rasai et <u>me</u> vêtis...*

CELA — CEUX-LÀ

1. *Sortir par ce temps ?* **Cela** *ne m'enchante guère.*
2. *Ces commerçants ont déjà décoré leurs vitrines.* **Ceux-là** *semblent avoir pris du retard.*

• **CELA** est un **pronom démonstratif neutre**.
Il remplace un élément présent dans le discours ou dans la situation d'énonciation.
On peut le remplacer par « *ça* ».
On pourrait dire, dans l'exemple 1 : *Sortir par ce temps ? <u>Ça</u> ne m'enchante guère.*
On notera que, quand il est sujet, *cela* est toujours **suivi d'un verbe au singulier**.

V. Les homophones : ces – ses – c'est – s'est...

• CEUX-LÀ est un **pronom démonstratif masculin pluriel**.
Il remplace un élément présent dans le discours ou dans la situation d'énonciation.
Il peut être remplacé par « *celles-là* ».
Dans l'exemple 2, l'on pourrait dire : <u>Celles-là</u> *semblent avoir pris du retard.*
Quand il est sujet, *ceux-là* est toujours suivi d'un verbe au pluriel.

CES – SES – C'EST – S'EST – SAIT

1. *Ces personnes sont vraiment très aimables.*
2. *Joseph prit ses affaires et sortit en claquant la porte.*
3. *N'oublie pas que, demain, c'est la fête des Mères.*
4. *Il s'est levé, s'est rasé et s'est vêtu de son plus beau costume.*
5. *Il est malade, sa copine le sait... Alors pourquoi le cacher ?!*

• CES est un **déterminant démonstratif pluriel**.
Il évoque un élément présent dans le discours ou dans la situation d'énonciation.
Il précède toujours un nom commun, masculin ou féminin, au pluriel.
Dans l'exemple 1, *ces* précède le nom commun *personnes*.

• SES est un **déterminant possessif** féminin ou masculin pluriel de la troisième personne du singulier.
Il précède donc toujours un nom commun, masculin ou féminin, au pluriel et correspond à « *les siens* » ou « *les siennes* ».
Dans l'exemple 2, *ses* accompagne le nom commun *affaires*.

• C'EST est la combinaison de ce (c'), **pronom démonstratif** neutre, et de la troisième personne du singulier de l'indicatif présent du **verbe être** (est).
Il s'agit du présentatif.
C'est peut être remplacé par « *c'était* ».
Dans l'exemple 3, l'on pourrait dire : ... <u>c'était</u> la fête des Mères.

Remarques :
• Quand l'élément qu'il remplace est au pluriel, *c'est* devient *ce sont*.
• Dans l'expression *c'est-à-dire*, il faut mettre deux traits d'union.

V. Les homophones : dans – d'en

• **S'EST** est la combinaison de *se* (*s'*), **forme réfléchie du pronom personnel** de la troisième personne du singulier et du **verbe être** à la troisième personne du singulier de l'indicatif présent (*est*).
Il fait donc partie d'un verbe pronominal conjugué à l'indicatif passé composé (ou à l'indicatif présent de la voix passive) et est toujours suivi d'un participe passé.

S'est peut être remplacé par « *me suis* » ou « *t'es* ».
Dans l'exemple 4, l'on pourrait dire : *Je <u>me suis</u> levé, <u>me suis</u> rasé et <u>me suis</u> vêtu...*

• **SAIT** est le **verbe** *savoir* conjugué à la troisième personne du singulier de l'indicatif présent.
Il peut être remplacé par « *savait* ».
Dans l'exemple 5, l'on pourrait dire :... *sa copine le <u>savait</u>...*
(Sais = 1re PS et 2e PS de l'indicatif présent)

DANS – D'EN

1. *Dans deux secondes, vous sautez tous dans l'eau.*
2. *Il alla dans la forêt, afin d'en ramener du muguet.*
3. *Il ramassa aussi des champignons afin d'en faire une poêlée.*

• **DANS** est une **préposition**.
C'est un mot **invariable**.
Dans précède un groupe nominal et introduit un complément circonstanciel de **temps** ou de **lieu** (Ex. 1 et 2).

• **D'EN** est la combinaison de la **préposition** *de* (*d'*) et du **pronom personnel** *en*.
D'en remplace un groupe nominal prépositionnel, afin d'éviter la répétition.

Dans l'exemple 2, l'on aurait pu dire : *Il alla dans la forêt, afin de ramener du muguet <u>de la forêt</u>.*
Dans l'exemple 3, l'on aurait pu dire : *Il ramassa aussi des champignons afin de faire une poêlée <u>de champignons</u>.*

DEMI(ES) – demi – demie

1. *Je vous attends dans une **demi**-heure.*
2. *Il n'y avait que des bouteilles **demi**-pleines.*
3. *Je vous attends à trois heures et **demie**.*

• DEMI est un **adjectif qualificatif** quand il accompagne un nom commun ou un adjectif qualificatif.
Lorsqu'il précède ce nom ou cet adjectif qualificatif – dont il est séparé par un trait d'union – il reste **invariable**.
C'est le cas dans les exemples 1 et 2.

Quand il suit le nom, auquel il est rattaché par *et*, demi s'accorde **en genre** avec ce nom.
Dans l'exemple 3, *demi* s'accorde en genre avec *heures* (*et demie*).

• Demi est un **nom commun** masculin.
Il désigne alors un verre de bière ou un joueur de rugby.
Il varie en nombre.

• Demie est un **nom commun** féminin.
Il signifie « la demi-heure ». Il varie en nombre.

ET – EST – eh ! – hé !

1. *Tu iras chez le fleuriste **et** tu achèteras un sapin de Noël.*
2. *Le fleuriste **est** tout au bout de la rue.*

• ET est une **conjonction de coordination**.
Il permet de relier deux éléments qui ont la même fonction dans la phrase.
Il s'agit donc d'un mot **invariable**.
Il peut exprimer la réunion ou l'intersection de deux ensembles, une succession dans le temps, une conséquence ou bien une opposition.
On peut le remplacer par « *et puis* ».
Dans l'exemple 1, l'on pourrait dire : *Tu iras chez le fleuriste <u>et puis</u> tu achèteras un sapin de Noël.*

V. Les homophones : la – l'a – là

• **EST** est le **verbe** *être* conjugué à la troisième personne du singulier de l'indicatif présent.
On peut donc le remplacer par « *était* ».
On pourrait dire, dans l'exemple 2 : *Le fleuriste* <u>était</u> *tout au bout de la rue.*
(**Es** = 2e PS de l'indicatif présent)

• **Eh !** et **hé !** sont des **interjections**.
Ce sont des mots **invariables** qui n'ont aucune fonction dans la phrase.
Ils sont très souvent suivis d'un point d'exclamation.

Remarque : On prendra garde à ne pas confondre ces mots avec l'une des formes du verbe *avoir* (*ai, aie, aies, ait, aient*).

LA – L'A – LÀ

1. *De sa chambre, il voyait* **la** *mer.*
2. *La mer ? Il* **la** *voyait de sa chambre.*
3. *Lucas attend le facteur. Il* **l'a** *vu arriver sur son vélo.*
4. *Regarde,* **là**, *le Père Noël !*
5. *Ces décorations sont un peu ordinaires. Celles-***là** *sont plus jolies.*
6. *Achète plutôt ces boules-***là**.

• **LA** est un **article défini** féminin singulier.
Il précède un nom commun féminin singulier.
Dans l'exemple 1, *la* accompagne *mer*.

Remarque : Devant un nom commun féminin singulier commençant par une voyelle ou un *h* muet, il y a élision : *la* devient *l'*.
Ex. : ~~la école~~ > *l'école* ; ~~la histoire~~ > *l'histoire*.

La est aussi un **pronom personnel** féminin de la troisième personne du singulier.

Il se trouve devant un verbe et remplace un nom commun féminin singulier.
Dans l'exemple 2, *la* se trouve devant *voyait* et représente *la mer*.

• **L'A** est la combinaison du **pronom personnel** de la troisième personne du singulier *le / la* (*l'*) et du **verbe** *avoir* à la troisième personne du singulier (*a*).

L'a peut être remplacé par « *l'avait* ».

Dans l'exemple 3, on pourrait dire : *Il l'avait vu arriver sur son vélo.* (**L'as** = *l'* + 2^e PS de l'indicatif présent)

• **LÀ** est un **adverbe de lieu** ou **de temps**.

Il est **invariable** et peut être remplacé par « *ici* » ou « *alors* ».

Dans l'exemple 4, on pourrait dire : *Regarde, ici, le Père Noël !*

Remarque : On retrouve *là* dans les expressions *ici et là* et *çà et là.*

Là peut aussi être une **particule** qui fait partie d'un pronom ou d'un adjectif **démonstratifs composés**.

Dans ce cas, *là* est précédé d'un trait d'union.

Nous pouvons le remplacer par « *-ci* ».

Dans l'exemple 5, on pourrait dire :... *Celles-ci sont plus jolies.*

Dans l'exemple 6, on pourrait dire : *Achète plutôt ces boules-ci.*

LES – L'EST – L'AI

1. *De sa chambre, il voyait **les** bateaux.*
2. *Les bateaux ? Il **les** voyait de sa chambre.*
3. *Nerveux ? Il **l'est** toujours avant un match.*
4. *J'attends le facteur. Je **l'ai** vu arriver sur son vélo.*

• **LES** est un **article défini**, masculin ou féminin, pluriel.

Il précède un nom commun, féminin ou masculin, pluriel.

Dans l'exemple 1, *les* accompagne *bateaux*.

Les est aussi un **pronom personnel**, féminin ou masculin, de la troisième personne du pluriel.

Il se trouve devant un verbe et remplace un nom commun pluriel.

Dans l'exemple 2, *les* se trouve devant *voyait* et représente *les bateaux*.

• **L'EST** est la combinaison du **pronom personnel** de la troisième personne du singulier *le / la* (*l'*) et du **verbe** *être* à la troisième personne du singulier de l'indicatif présent (*est*).

V. Les homophones : leur(s)

L'est peut être remplacé par « *l'était* ».
Dans l'exemple 3, on pourrait dire : *Nerveux ? Il l'était toujours avant un match.*
(**L'es** = *l'* + 2ᵉ PS de l'indicatif présent)

• **L'AI** est la combinaison du **pronom personnel** de la troisième personne du singulier *le / la (l')* et du **verbe** *avoir* à la première personne du singulier (*ai*).

L'ai peut être remplacé par « *l'avais* ».
Dans l'exemple 4, l'on pourrait dire : *Je l'avais vu arriver sur son vélo.*
(**L'aie, l'aies, l'ait, l'aient** = *l'* + subjonctif présent)

LEUR(S)

1. *Le médecin remercia ses patients et **leur** dit de ne pas s'inquiéter.*
2. *Mes voisins promènent **leur** chien tous les soirs.*
3. *Mes voisins promènent **leurs** chiens tous les soirs.*
4. *Mes cousins sortent le **leur** tous les matins.*
5. *Mes cousins sortent les **leurs** tous les matins.*

• **LEUR** est le **pronom personnel** de la troisième personne du pluriel. Il remplace donc un élément de la phrase et occupe la fonction de complément d'objet indirect (ou second) du verbe qu'il précède.

Dans l'exemple 1, *leur* remplace *ses patients* et précède le verbe *dit*, dont il est complément d'objet second.
Dans ce cas, *leur* reste toujours **invariable**.

• **LEUR, LEURS** sont des **déterminants possessifs** féminins ou masculins de la troisième personne du pluriel.

– Quand il précède un nom commun au singulier, *leur* reste au singulier.
Dans l'exemple 2, le groupe nominal *leur chien* évoque un seul élément.

– Quand il précède un nom commun au pluriel, *leur* se met au pluriel.
Dans l'exemple 3, le groupe nominal *leurs chiens* désigne plusieurs éléments.

V. Les homophones : ma − m'a

• **LE LEUR, LA LEUR, LES LEURS** sont des **pronoms possessifs** de la troisième personne du singulier (*le leur, la leur*) et du pluriel (*les leurs*).

− On écrira donc *le leur*, quand le pronom remplace un nom masculin singulier.
Dans l'exemple 4, *le leur* remplace *leur chien*.
On écrira *la leur* quand le pronom remplace un nom féminin singulier.

− De la même façon, on écrira *les leurs* quand le pronom remplace un nom, masculin ou féminin, pluriel.
Dans l'exemple 5, *les leurs* remplace *leurs chiens*.

MA − M'A

1. *J'ai offert des fleurs à* **ma** *grand-mère.*
2. *Elle* **m'a** *remerciée chaleureusement.*

• **MA** est un **déterminant possessif** féminin singulier de la première personne du singulier.
Il précède un nom commun féminin singulier et correspond à « *la mienne* ».
Dans l'exemple 1, *ma* précède le nom commun *grand-mère*.

Remarque : Il faudra utiliser *mon* plutôt que *ma* devant un nom commun féminin commençant par une voyelle ou un *h* muet.
 Ex. : ~~ma amie~~ > *mon amie* ; ~~ma histoire~~ > *mon histoire.*

• **M'A** est la combinaison du **pronom personnel** de la première personne du singulier *me* (*m'*) et du **verbe avoir** conjugué à la troisième personne du singulier de l'indicatif présent (*a*).
M'a peut être remplacé par « *m'avait* ».

Dans l'exemple 2, l'on pourrait dire : *Elle* <u>*m'avait*</u> *remerciée...*
(M'as = m' + 2ᵉ PS de l'indicatif présent)

V. Les homophones : Mais – mes – m'est – met

MAIS – MES – M'EST – MET

1. *L'enfant se mit à courir,* **mais** *il rata le bus.*
2. *Mathieu est un de* **mes** *collègues.*
3. *Ce roman* **m'est** *très précieux.*
4. *Le bambin* **met** *précieusement ses chaussons sous le sapin.*

• MAIS est une **conjonction de coordination.**
Il s'agit donc d'un mot **invariable.**
Il sert à corriger l'énoncé qui précède et, parfois, à relier deux propositions indépendantes.
Il peut être remplacé par « *et pourtant* ».

Dans l'exemple 1, on pourrait dire : *L'enfant se mit à courir,* <u>*et pourtant*</u> *il rata le bus.*

• MES est un **déterminant possessif** féminin ou masculin pluriel de la première personne du singulier.
Il précède toujours un nom commun, masculin ou singulier, pluriel, et correspond à « *les miens* » ou « *les miennes* ».

Dans l'exemple 2, *mes* accompagne le nom commun *collègues.*

• M'EST est la combinaison du **pronom personnel** de la première personne *me* (*m'*) et du **verbe être** conjugué à la troisième personne du singulier de l'indicatif présent (*est*).
M'est peut donc être remplacé par « *m'était* ».

Dans l'exemple 3, on pourrait dire : *Ce roman* <u>*m'était*</u> *très précieux.*
(M'es = *m'* + 2ᵉ PS de l'indicatif présent
M'aies, m'ait, m'aient = *m'* + subjonctif présent)

• MET est le **verbe** *mettre* conjugué à la troisième personne de l'indicatif présent.
Met peut être remplacé par « *mettait* ».

Dans l'exemple 4, on pourrait dire : *Le bambin* <u>*mettait*</u> *précieusement...*
(Mets = 1ʳᵉ PS et 2ᵉ PS de l'indicatif présent et 2ᵉ PS de l'impératif présent)

MÊME(S)

1. *Cet homme racontait sans cesse les **mêmes** histoires.*
2. *Ses filles elles-**mêmes** ne pouvaient l'arrêter.*
3. *Il ne voulait **même** pas entendre nos remarques.*
4. *Chaque fois qu'on le voyait, le vieil homme était le **même**.*

• MÊME est un **adjectif qualificatif**.
Il accompagne un nom commun ou un pronom, avec lequel il s'accorde.

Dans l'exemple 1, *mêmes* accompagne le nom commun *histoires* ; dans l'exemple 2, *mêmes* accompagne le pronom personnel *elles*. Il se met donc au pluriel dans les deux cas.

Remarque : Quand il accompagne un pronom personnel, *même(s)* lui est rattaché par un trait d'union.

• Même est un **adverbe**.
Il accompagne alors un adjectif qualificatif, un verbe, un autre adverbe ou une proposition et reste donc **invariable**.
Il pourrait être supprimé (Ex. 3).

• LE / LA / LES MÊME(S) est un **pronom indéfini**.
Il exprime alors une analogie et prend le genre et le nombre du mot qu'il remplace.

Dans l'exemple 4, *le même* remplace *le vieil homme* (masculin singulier).
On utilisera *la même* quand le pronom remplacera un mot féminin singulier, *les mêmes* quand il évoquera un mot masculin ou féminin pluriel.

MON – M'ONT

1. ***Mon** père et **mon** frère sont partis à la montagne.*
2. *Ils **m'ont** envoyé une carte postale.*

• MON est un **déterminant possessif** masculin singulier de la première personne du singulier.

V. Les homophones : ni – n'y – nie

Il équivaut à « *le mien* » (parfois « *la mienne* ») et précède donc un nom commun singulier, généralement masculin.

Dans l'exemple 1, *mon* accompagne les noms *père* et *frère*.

Remarque : Le déterminant possessif *mon* précède un **nom commun féminin** lorsque ce dernier commence par une voyelle ou un *h* muet.
  Ex. : ~~ma amie~~ > *mon* amie, ~~ma histoire~~ > *mon* histoire

• **M'ONT** est la combinaison du **pronom personnel** de la première personne *me* (*m'*) et du **verbe** *avoir* conjugué à la troisième personne du pluriel de l'indicatif présent (*ont*).

M'ont peut être remplacé par « *m'avaient* ».

Dans l'exemple 2, on pourrait dire : *Ils m'avaient envoyé une carte postale.*

NI – N'Y – NIE

1. *Après la gymnastique, Anne-Marie n'a ni douleurs ni courbatures.*
2. *Les cours de gymnastique ? Elle n'y vient pas régulièrement.*
3. *Elle ne le nie pas, d'ailleurs.*

• **NI** est une **conjonction de coordination.**
C'est un mot **invariable.**
Ni est la négation de *et* et *ou*.
Il est donc toujours précédé de l'adverbe de négation *ne* (*n'*).
Il est répété devant chaque mot qu'il coordonne (Ex. 1).

• **N'Y** est la combinaison de l'**adverbe de négation** *ne* (*n'*) et du **pronom personnel** *y*.
N'y est suivi, dans la phrase, des adverbes *pas, point, guère, plus, jamais*, des déterminants indéfinis *aucun* et *nul* ou des pronoms indéfinis *personne, rien, aucun* (Ex. 2).

• **NIE** est le **verbe** *nier* conjugué aux première ou troisième personnes du singulier de l'indicatif présent et du subjonctif présent, ou à la deuxième personne du singulier de l'impératif présent.
Nie peut être remplacé par une autre forme du verbe *nier*.

Dans l'exemple 3, on pourrait dire : *Elle ne le niait pas, d'ailleurs.*
(Nies = 2ᵉ PS de l'indicatif ou du subjonctif présents)

ON – ON N' – ONT

1. *On arrivera chez vous vers minuit.*
2. *On n'arrivera pas chez vous avant minuit.*
3. *Les invités ont déjà commencé à manger.*

• **ON** est un **pronom personnel** ou **indéfini.**
Il est toujours sujet d'un verbe conjugué à la troisième personne du singulier.
Dans l'exemple 1, on pourrait dire : *Il arrivera chez vous vers minuit.*

• **ON N'** est la combinaison du **pronom personnel** ou **indéfini** *on* et de l'**adverbe de négation** *ne (n').*
Il est donc toujours suivi dans la phrase des adverbes *pas, point, guère, plus, jamais,* des déterminants indéfinis *aucun* et *nul* ou des pronoms indéfinis *personne, rien, aucun.*

On écrira *on n'* quand on pourra le remplacer par « *il n'* ».
Dans l'exemple 2, *on n'* est suivi de *pas* et l'on pourrait dire : *Il n'arrivera pas chez vous...*

• **ONT** est le **verbe avoir** conjugué à la troisième personne du pluriel de l'indicatif présent.
Ont peut être remplacé par « *avaient* ».
Dans l'exemple 3, on pourrait dire : *Les invités avaient déjà commencé à manger.*

OU – OÙ

1. *Préfères-tu Le Seigneur des anneaux ou Harry Potter ?*
2. *C'est la salle de cinéma où je suis allée hier.*
3. *Je te demande où tu es allée voir ces films.*

• **OU** est une **conjonction de coordination.**
C'est un mot **invariable** qui exprime un choix et peut être remplacé par « *ou bien* ».

V. Les homophones : peu – peut

Dans l'exemple 1, on pourrait dire : *Préfères-tu* Le Seigneur des anneaux *ou bien* Harry Potter ?

• **Où** est un **pronom relatif ou un mot interrogatif** qui indique le lieu ou le temps.
Où ne peut être remplacé par « *ou bien* » (Ex. 2 et 3).

PEU – PEUT

1. *Il a acheté une voiture* **peu** *rapide.*
2. *Cette enfant parle* **peu**.
3. *Tu as fait* **peu** *d'efforts.*
4. *Le* **peu** *d'efforts que tu as faits ont été payants.*
5. *Reprendras-tu un* **peu** *de potage ?*
6. *Mario ne* **peut** *pas assister à la représentation.*

• **PEU** est un **adverbe de quantité.**
C'est l'inverse de « *très* », ou « *beaucoup* ».
Il est toujours **invariable** et accompagne un adjectif qualificatif ou un verbe.
Dans l'exemple 1, *peu* précède l'adjectif qualificatif *rapide.*
Dans l'exemple 2, il accompagne le verbe *parle.*

Peu peut être employé comme **déterminant indéfini.**
Il accompagne alors un nom commun.
Il est suivi de *de* et peut être ou non précédé de *le* ou de *un* (Ex. 3, 4 et 5).

• **PEUT** est le **verbe** *pouvoir* à la troisième personne du singulier de l'indicatif présent.
Il a donc un sujet de la troisième personne et peut être remplacé par « *pouvait* ».
Dans l'exemple 6, on pourrait dire : *Mario ne* <u>pouvait</u> *pas assister à la représentation.*
(**Peux** = 1re PS et 2e PS de l'indicatif présent)

PRÈS – PRÊT(S)

1. *Il habite tout **près**.*
2. *Il habite **près** de chez moi.*
3. *Elle était **près** de s'évanouir.*
4. *Les élèves sont fin **prêts**.*

• **PRÈS** employé seul (sans la préposition *de*) est un **adverbe de lieu**.
Il signifie alors « *à petite distance* » (Ex. 1).

Avec la préposition *de*, il forme une **locution prépositive**.
On peut le remplacer par « *non loin de* » (Ex. 2) ou « *sur le point de* » (Ex. 3).

Près (de) est donc toujours **invariable**.

• **PRÊT(S)** est un **adjectif qualificatif**.
Il peut être ou non suivi de la préposition *à*.
Il signifie « *qui est préparé* ».
Il s'accorde en genre et en nombre avec le mot qu'il accompagne.

Dans l'exemple 4, *prêts* s'accorde avec *élèves* (masculin pluriel).

Remarque : *Fin* reste invariable, quand il accompagne *prêt*.

QUAND – QUANT – QU'EN

1. *Ses parents s'en iront **quand** elle sera couchée.*
2. ***Quand** s'en iront-ils ?*
3. *Elle se demande **quand** ils s'en iront.*
4. ***Quant** à Lilas, elle restera ici pour préparer ses examens.*
5. *Je la trouve courageuse. **Qu'en** penses-tu ?*
6. *D'habitude, elle ne part **qu'en** été.*

• **QUAND** est une **conjonction de subordination**.
C'est un mot **invariable** qui sert à introduire une proposition subordonnée conjonctive et à la rattacher à la proposition principale.

V. Les homophones : quel(le)(s) – qu'elle(s)

Quand est alors synonyme de « *lorsque* ».
Dans l'exemple 1, l'on pourrait dire : *Ses parents s'en iront <u>lorsqu</u>'elle sera couchée.*

Quand peut être un **adverbe interrogatif.**
Dans ce cas, il introduit une phrase interrogative (Ex. 2) ou une proposition subordonnée interrogative indirecte, qu'il relie à une proposition principale (Ex. 3).
Quand peut alors être remplacé par « *à quel moment* ».
Dans l'exemple 2 : <u>*À quel moment*</u> *s'en iront-ils ?*
Dans l'exemple 3 : *Elle se demande <u>à quel moment</u> ils s'en iront.*

Ainsi, *quand* indique toujours le **temps.**

• **QUANT** est toujours suivi de *à* (*au, aux*), avec lequel il forme une **locution prépositive.**
Il peut être remplacé par les expressions « *pour ce qui est de..., en ce qui concerne...* ».
Dans l'exemple 4, l'on pourrait dire : <u>*En ce qui concerne,*</u> *<u>pour ce qui est de</u> Lilas, elle restera ici pour préparer ses examens.*

• **QU'EN** est la combinaison du **pronom interrogatif** *que* (*qu'*) et du **pronom personnel** *en.*
Qu'en peut être remplacé par « *qu'est-ce que... de cela* ».
Dans l'exemple 5, on pourrait dire : <u>*Qu'est-ce que*</u> *tu penses <u>de cela</u> ?*

C'est la combinaison de l'**adverbe** *que* (*qu'*) et de la **préposition** *en.*

Qu'en est alors précédé de *ne* et marque la restriction.
Il peut être remplacé par « *uniquement en* ».
Dans l'exemple 6, *qu'en* est précédé de l'adverbe de négation *ne* et on pourrait dire : *D'habitude, elle part <u>uniquement</u> en été.*

QUEL(LE)(S) – QU'ELLE(S)

1. *Quels résultats as-tu obtenus ? Quelle belle réussite !*
2. *Quelle est ta moyenne ?*
3. *Son grand-père demande qu'elle lui parle de ses études.*
4. *Le trimestre qu'elles viennent de passer est très encourageant.*

V. Les homophones : quelque(s) – quel(le)(s) que

• **QUEL(LE)(S)** est un **déterminant interrogatif** ou **exclamatif**.
Qu'il se trouve dans une phrase interrogative ou dans une phrase exclamative, il accompagne donc toujours un nom commun, dont il prend le genre et le nombre.
Ainsi, dans l'exemple 1, *quels* prend le genre et le nombre de *résultats* (masculin pluriel) et *quelle*, le genre et le nombre de *réussite* (féminin singulier).

Quel est un **pronom interrogatif**.
Il s'emploie alors comme attribut et prend le genre et le nombre du mot auquel il fait référence.
Dans l'exemple 2, *quelle* prend le genre et le nombre de *moyenne* (féminin singulier).
Il peut être remplacé par « *quel(s)* ».

• **QU'ELLE(S)** est la combinaison de la **conjonction de subordination** *que* (*qu'*) et du **pronom personnel** de la troisième personne du singulier (*elle*) ou du pluriel (*elles*) (Ex. 3).
C'est la combinaison du **pronom relatif** *que* et du **pronom personnel** de la troisième personne du singulier (*elle*) ou du pluriel (*elles*) (Ex. 4).

On écrira *elle* lorsque le verbe sera conjugué à la troisième personne du singulier et *elles* quand il sera conjugué à la troisième personne du pluriel (Ex. 4).

Dans les deux cas, *qu'elle(s)* peut toujours être remplacé par « *qu'il(s)* ».
Dans l'exemple 3, *qu'elle* peut être remplacé par *qu'il* (le verbe, *parle*, est au singulier) : *Son grand-père lui demande qu'il lui parle de ses études.*
Dans l'exemple 4, *qu'elles* peut être remplacé par *qu'ils* (le verbe, *viennent*, est au pluriel) : *Le trimestre qu'ils viennent de passer est très encourageant.*

QUELQUE(S) — QUEL(LE)(S) QUE

1. *Cette histoire tragique s'est passée il y a* **quelque** *deux cents ans.*
2. **Quelque** *tragique qu'elle paraisse, cette histoire me passionne.*

V. Les homophones : quelque(s) – quel(le)(s) que

3. *Je l'ai lue dans* **quelque** *revue spécialisée.*
4. *J'ai obtenu* **quelques** *informations à ce sujet.*
5. **Quelques** *frissons qu'elle provoque, elle est émouvante.*
6. **Quelles que** *soient les informations que j'ai obtenues, cela reste assez mystérieux.*

• QUELQUE est un **adverbe**.

– Suivi d'un déterminant numéral, il signifie « *environ* » et reste **invariable**.
Dans l'exemple 1, on pourrait dire : *Cette tragique histoire s'est passée il y a* environ *deux cents ans.*

– Suivi d'un adjectif et de *que*, il est synonyme de « *si / aussi... que* » et reste **invariable**.
Dans l'exemple 2, on pourrait dire : Si / Aussi *tragique qu'elle soit, cette histoire me passionne.*
On notera, dans ce cas, que *quelque... que* est suivi d'un verbe au mode subjonctif (*paraisse*).

• QUELQUE(S) est un **déterminant indéfini**.

– Devant un nom commun singulier, il est synonyme de « *un(e) certain(e)* » et reste au singulier.
Dans l'exemple 2, *quelque* est au singulier, comme *revue*.

Remarque : Dans l'expression *il y a quelque temps*, *quelque* reste au singulier, puisque l'on pourrait dire : *il y a* un certain *temps*.

– Devant un nom commun pluriel, il signifie « *plusieurs* » et se met au pluriel.
Dans l'exemple 3, *quelques* est au pluriel, comme *informations*.

– Suivi d'un nom commun et de *que*, il est alors synonyme de « *autant de* » et s'accorde aussi avec ce nom.
Dans l'exemple 4, *quelques* est au pluriel, comme *frissons*.
On notera, dans ce cas, que *quelque(s)... que* est suivi d'un verbe au mode subjonctif (*provoque*).

• QUEL(LE)(S) QUE est aussi un **déterminant indéfini**.
Il est toujours suivi du verbe être au mode subjonctif et accompagne un nom commun, dont il prend le genre et le nombre.

V. Les homophones : sans – s'en – c'en – sent

Dans l'exemple 4, *quelles que* s'accorde en genre et en nombre avec le nom commun *informations* (féminin pluriel).

De la même façon, on écrit *quel que* lorsque ce nom est masculin singulier, *quels que*, quand il est masculin pluriel et *quelle que* s'il est féminin singulier.

QUOIQUE – QUOI QUE

1. *Quoiqu' il fasse très froid, tout le monde fait ses courses de Noël.*
2. *Quoi que vous fassiez, vous ne réussirez pas à le dérider !*

• QUOIQUE est une **conjonction de subordination**.
Quoique peut être remplacé par « *bien que* ».
Dans l'exemple 1, on pourrait dire : <u>*Bien qu'il fasse très froid, tout le monde fait ses courses de Noël.*</u>

• QUOI QUE est une **locution conjonctive**.
Quoi que signifie « quelle que soit la chose que ».
Dans l'exemple 2, on pourrait dire : <u>*Quelle que soit la chose*</u> que vous fassiez, vous ne réussirez pas à le dérider !

On remarquera que *quoique*, comme *quoi que*, sont suivis d'un verbe conjugué au mode subjonctif.

SANS – S'EN – C'EN – SENT – cent

1. *L'arbitre est monté sur le terrain **sans** son sifflet.*
2. *Il n'a pas l'air de **s'en** préoccuper.*
3. *Cette habitude qu'il a de tout oublier. **C'en** devient inquiétant.*
4. *Le public **sent** que le match va mal se passer.*

• SANS est une **préposition**.
Elle sert donc à relier des éléments de la phrase et à construire des compléments.
Sans évoque l'absence, le manque (Ex. 1).

V. Les homophones : sans – s'en – c'en – sent

Attention :
• L'expression *sans faute* signifie « à coup sûr ».
Lorsque l'on veut dire « sans faire d'erreur », l'on écrit *sans fautes*.
• L'on écrit *sens dessus dessous*.
Il s'agit en effet du nom commun *sens* et pas de la préposition *sans*.
Cette expression signifie « dans une position telle que ce qui devrait être dessus est dessous et inversement ».

• **S'EN** est la combinaison du **pronom personnel réfléchi** de la troisième personne *se* (*s'*) et d'un autre **pronom personnel**, *en*.

S' fait donc partie d'un verbe pronominal et *en* remplace un élément du contexte.
S'en peut être remplacé par « *se... de cela* ».

Dans l'exemple 2, on pourrait dire : *Il n'a pas l'air de* <u>se</u> *préoccuper* <u>de cela</u>.

• **C'EN** est la combinaison du **pronom démonstratif** neutre *ce* (*c'*) et du **pronom personnel** *en*.
On peut remplacer *c'en* par « *cela en* ».
Dans l'exemple 3, on pourrait dire : <u>*Cela en*</u> *devient inquiétant*.

• **SENT** est le **verbe** *sentir* conjugué à la troisième personne du singulier de l'indicatif présent.
On peut le remplacer par « *sentait* ».
Dans l'exemple 4, on pourrait dire : *Le public* <u>*sentait*</u>...
(**Sens** = 1re PS et 2e PS de l'indicatif présent et 2e PS de l'impératif présent)

• **Cent** est un **déterminant numéral**.
Il précède un nom commun, masculin ou féminin, pluriel.
Il équivaut au chiffre 100.
(Voir I – Déterminant numéral, p. 14.)

SI – S'Y – -CI – SCIE

1. *Je sortirai si je ne suis pas trop fatiguée.*
2. *Pierre m'a demandé si je serai présente.*
3. *Je suis si lasse, en ce moment.*
4. *– N'es-tu pas trop fatiguée ? – Si.*
5. *Il viendra me chercher, il s'y engage.*
6. *Cette fois-ci, je ne peux plus refuser.*
7. *Le menuisier scie une planche.*

• SI est une **conjonction de subordination**.
Si établit un rapport d'hypothèse et introduit une proposition subordonnée conjonctive, qu'il relie à la proposition principale.

Si peut être remplacé par « *à la condition que* », suivi d'un verbe au mode subjonctif.
Dans l'exemple 1, on pourrait dire : *Je sortirai <u>à la condition</u> que je ne sois pas trop fatiguée.*

Si est un **mot interrogatif**.
Dans ce cas, *si* introduit une proposition subordonnée interrogative indirecte et la rattache à la proposition principale.
Dans l'exemple 2, *si* relie *je serai présente* (la proposition subordonnée interrogative indirecte) à *Pierre m'a demandé* (la proposition principale).

Si est un **adverbe**.
Il accompagne alors un adjectif qualificatif ou un autre adverbe.
On peut le remplacer par « *tellement* ».
Dans l'exemple 3, on pourrait dire : *Je suis <u>tellement</u> lasse en ce moment.*

Si est une **interjection**.
Si est alors une réponse qui nie une question négative (Ex. 4).

• S'Y est la combinaison du **pronom personnel réfléchi** de la troisième personne *se* (*s'*) et du **pronom personnel** *y*.
S' fait partie d'un verbe pronominal et *y* remplace un élément du contexte.
S'y peut être remplacé par « *se... à / dans cela* ».
Dans l'exemple 5, on pourrait dire : *Il <u>s'</u>engage <u>à cela</u>.*

V. Les homophones : son – sont

• CI est une **particule** qui fait partie du déterminant ou du pronom démonstratifs composés.
Dans ce cas, *ci* est précédé d'un trait d'union.
Nous pouvons le remplacer par « *-là* ».
Dans l'exemple 6, on pourrait dire : *Cette fois-là...*

• SCIE est le **verbe** *scier* conjugué aux première ou troisième personnes du singulier de l'indicatif présent et du subjonctif présent, ou à la deuxième personne du singulier de l'impératif présent.
On peut donc le remplacer par une autre forme du verbe *scier* (Ex. 7).
(Scies = 2ᵉ PS de l'indicatif ou du subjonctif présents.
Scient = 3ᵉ PP de l'indicatif et du subjonctif présents)

SON – SONT

1. *Son ami est parti sans laisser d'adresse.*
2. *Ils se sont quittés fâchés.*

• SON est un **déterminant possessif masculin singulier** de la troisième personne du singulier.
Il équivaut à « *le sien* » (parfois à « *la sienne* ») et précède un nom commun singulier, généralement masculin.
Dans l'exemple 1, *son* accompagne le nom commun *ami*.

Remarque : L'on trouve *son* devant un **nom commun féminin**, lorsque ce dernier commence par une voyelle ou un *h* muet.
   Ex. : ~~sa amie~~ > *son* amie ; ~~sa horreur~~ > *son* horreur.

• SONT est le **verbe** *être* conjugué à la troisième personne du pluriel de l'indicatif présent.
Il peut être remplacé par « *étaient* » .
Dans l'exemple 2, on pourrait dire : *Ils <u>étaient</u> partis fâchés.*

V. Les homophones : tant – t'en – tend

TA – T'A

1. *As-tu appelé **ta** mère pour son anniversaire ?*
2. *Elle, elle ne **t'a** pourtant pas oublié !*

• **TA** est un **déterminant possessif** féminin singulier de la deuxième personne du singulier.
Il correspond à « *la tienne* ».
On le trouve toujours devant un nom commun féminin singulier.
Dans l'exemple 1, *ta* accompagne le nom commun *mère*.

Remarque : Devant un nom commun féminin singulier commençant par une voyelle ou un *h* muet, il faut utiliser *ton*.
Ex. : ~~ta amie~~ > *ton* amie ; ~~ta histoire~~ > *ton* histoire.

• **T'A** est la combinaison du **pronom personnel** de la deuxième personne du singulier *te* (*t'*) et du **verbe** *avoir* à la troisième personne du singulier de l'indicatif présent (*a*).
T'a peut être remplacé par « *t'avait* ».
Dans l'exemple 2, l'on pourrait dire : *Elle, elle ne <u>t'avait</u> pourtant pas oublié !*

TANT – T'EN – TEND

1. *Il l'aime **tant** !*
2. *Cet enfant cria **tant** qu'il pouvait.*
3. *Il s'agit d'une affaire personnelle. Ne **t'en** occupe donc pas.*
4. *L'enfant **tend** la main à son père.*

• **TANT** est un **adverbe de quantité**.
On écrira donc *tant* quand on pourra le remplacer par « *tellement* » ou « *autant* ».
Tant peut être employé seul, ou suivi de *de* ou de *que*.
Dans l'exemple 1, on pourrait dire : *Il l'aime <u>tellement</u> !*
Dans l'exemple 2, on pourrait dire : *Cet enfant cria <u>autant</u> qu'il pouvait.*

Attention : On le retrouve dans *tant pis, tant mieux, tant et plus*.

V. Les homophones : tel(le)(s) — tel(le)(s) que...

• **T'EN** est la combinaison du **pronom personnel** de la deuxième personne du singulier *te (t')* et du **pronom personnel** *en*.
On écrira *t'en* lorqu'on pourra le remplacer par « *te / t'*... *de cela* ».
Dans l'exemple 3, on pourrait dire :... *Ne t'occupe pas de cela*.

• **TEND** est le **verbe** *tendre* conjugué à la troisième personne du singulier de l'indicatif présent.
On peut donc le remplacer par « *tendait* ».
Dans l'exemple 4, on pourrait dire : *L'enfant tendait la main à son père*.
(**Tends** = 1re PS et 2e PS de l'indicatif présent et 2e PS de l'impératif présent)

TEL(LE)(S) —TEL(LE)(S) QUE —TEL(LE)(S) QUEL(LE)(S)

1. *Elle avait vu cette photo dans **telle** revue à scandale.*
2. *De **telles** phrases sont à méditer.*
3. *Elle criait **tel** un animal effrayé.*
4. *Il y eut des rafales **telles** que des centaines d'arbres furent déracinés.*
5. *Marie eut des douleurs **telles** qu'elle ne pouvait plus dormir.*
6. *Amis, venez **tels** quels.*
7. ***Tel** est pris qui croyait prendre.*

• **TEL(LE)(S)** est un **déterminant indéfini**.
On le trouve devant un nom commun, dont il prend le genre et le nombre.
Il exprime l'indétermination et est synonyme de « *un(e) certain(e)* » ou de « *certain(e)s* ».
Dans l'exemple 1, *telle* prend le genre et le nombre de *revue* (féminin singulier).

Tel est un **adjectif qualificatif**.

– Il signifie « *pareil* ».
Il accompagne alors un nom commun et s'accorde avec lui.
Dans l'exemple 2, *telles* s'accorde en genre et en nombre avec *phrases* (féminin pluriel).

– Lorsqu'il est synonyme de « *comme* », il peut s'accorder avec le mot qui le suit (Ex. 3).

Tel fait partie d'une **locution conjonctive**, lorsqu'il est suivi de **que** (**qu'**) et d'une proposition subordonnée conjonctive (complément circonstanciel de conséquence).
Il est alors synonyme de « *si grand que* », « *de telle sorte que* ».

Dans l'exemple 4, *telles* s'accorde avec *rafales* (féminin pluriel).
Dans l'exemple 5, *telles* s'accorde avec *douleurs* (féminin pluriel) ; *elle* est le sujet de *pouvait*.
Ainsi, on écrira *tel(les) qu'elle(s)*, si une proposition subordonnée suit et si l'on peut le remplacer par *tel(les) qu'il(s)*.

Tel fait partie d'une **locution adjective**, avec **quel(les)**.
Cette locution signifie « *sans modification* » et n'est suivie d'aucune proposition subordonnée.
Dans ce cas, *tel* s'accorde, comme *quel*, en genre et en nombre avec le nom qu'il accompagne.

Dans l'exemple 6, *tels* et *quels* s'accordent avec *amis* (masculin pluriel).
Ainsi, on écrira *tel(les) quel(les)* s'il n'y a pas de proposition subordonnée qui suit.

Tel est un **pronom indéfini**.
Il reste très souvent au masculin singulier, puisqu'il est nominal (l'on ne sait donc pas exactement ce qu'il remplace).
C'est le cas dans l'exemple 7.

TES – T'AI – T'EST – TAIT

1. *N'oublie pas d'envoyer **tes** vœux à Mamie.*
2. *Je t'ai rappelé d'écrire à Mamie !*
3. *Elle t'est pourtant chère !*
4. *Il se tait, de peur de commettre une erreur.*

• **TES** est un **déterminant possessif** féminin ou masculin pluriel de la deuxième personne du singulier.
Il correspond à « *les tiens* » ou « *les tiennes* ».

V. Les homophones : tout – tous

Il précède donc toujours un nom commun, masculin ou féminin, pluriel.

Dans l'exemple 1, *tes* accompagne le nom commun *vœux*.

• **T'AI** est la combinaison du **pronom personnel** de la deuxième personne du singulier *te* (*t'*) **et du verbe *avoir*** conjugué à la première personne du singulier de l'indicatif présent (*ai*).

T'ai peut être remplacé par « *t'avais* ».

Dans l'exemple 2, on pourrait dire : *Je t'avais rappelé d'écrire à Mamie !*

(T'aie, t'ait, t'aient = t' + subjonctif présent)

• **T'EST** est la combinaison du **pronom personnel** de la deuxième personne du singulier *te* (*t'*) **et du verbe *être*** conjugué à la troisième personne du singulier de l'indicatif présent (*est*).

T'est peut être remplacé par « *t'était* ».

Dans l'exemple 3, on pourrait dire : *Elle t'était pourtant chère !*

(T'es = t' + 2ᵉ PS de l'indicatif présent)

• **TAIT** est le **verbe** *(se) taire* conjugué à la troisième personne du singulier de l'indicatif présent.

Il peut être remplacé par « *(se) taisait* ».

Dans l'exemple 4, on pourrait dire : *Il se taisait, de peur de commettre une erreur.*

(Tais= 1ʳᵉ PS et 2ᵉ PS de l'indicatif présent ou 2ᵉ PS de l'impératif présent.)

TOUT – TOUS

1. *Le ciel était **tout** sombre, les nuages **tout** noirs.*
2. *La jeune fille était **tout** émue.*
3. ***Tout** bruit la faisait sursauter.*
4. *Pour elle, ces bruits avaient **tous** une signification.*

V. Les homophones : tout — tous

• TOUT est un **adverbe de quantité**.

– Il accompagne un adjectif qualificatif, un verbe, un autre adverbe ou toute une proposition et signifie « *entièrement* ».
Il reste généralement **invariable**.
C'est le cas dans les exemples 1 et 2.

Remarque : Dans les expressions à *tout à l'heure* et *(à) tout de suite*, *tout* reste invariable.

– Toutefois, devant un adjectif qualificatif (ou un participe) féminin et commençant par une consonne ou un *h* aspiré, *tout* prend le genre et le nombre du mot qu'accompagne cet adjectif.

Tout est un **déterminant indéfini**.
Il précède un nom commun, dont il prend le genre et le nombre.
Il signifie alors soit « *chaque* », soit « *la totalité de* ».
Dans l'exemple 3, *tout* précède *bruit* (masculin singulier).

Remarques :
• *Tout* et le nom qu'il accompagne sont au singulier dans les expressions suivantes :
tout compte fait, à tout hasard, à toute heure, à tout moment, à tout prix, à tout propos, de toute façon, de toute manière, de tout temps, en tout cas, en toute chose, en tout genre, en tout lieu, en toute occasion, en tout point...
• Ils se mettent au pluriel dans :
à tous égards, à toutes jambes, de tous côtés, en toutes lettres...

Tout est un **pronom indéfini**.
Il signifie alors « *dans leur totalité* ».
Il remplace un élément du contexte, dont il prend le genre et le nombre.
Dans l'exemple 4, *tous* désigne *ces bruits* (masculin pluriel).

Tout est aussi un **nom commun** masculin.
Il signifie « une collection, un ensemble ».
Dans ce cas seulement, nous pouvons trouver *touts*, lorsque le nom est au pluriel.

V. Les homophones : vint – vainc – vain

VINT – VAINC – VAIN – vingt

1. *Quand* vint *l'été, ils durent se rendre à l'évidence.*
2. *Le courage ne* vainc *pas toujours la malchance.*
3. *Tous leurs efforts ont été* vains.
4. *Ils ont demandé de l'aide, en* vain.

• VINT est le **verbe** *venir* à la troisième personne du singulier de l'indicatif passé simple.
Il peut être remplacé par « *venait* ».
Dans l'exemple 1, on pourrait dire : *Quand* <u>venait</u> *l'été...*
(**Vins** = 1re PS et 2e PS de l'indicatif passé simple
Vînt = 3e PS du subjonctif imparfait)

• VAINC est le **verbe** *vaincre* conjugué à la troisième personne du singulier de l'indicatif présent.
Il peut être remplacé par « *vainquait* ».
Dans l'exemple 2, on pourrait dire : *Le courage ne* <u>vainquait</u> *pas toujours la malchance.*
(**Vaincs** = 1re PS et 2e PS de l'indicatif présent et 2e PS de l'impératif présent)

• VAIN est un **adjectif qualificatif**.
Il signifie « *inutile, inefficace* ».
Il s'accorde en genre et en nombre avec le mot qu'il accompagne.

Dans l'exemple 3, *vains* s'accorde en genre et en nombre avec *efforts* (masculin pluriel).
Il fait partie d'une **locution prépositive**, avec *en*.
Il est synonyme de « *inutilement, vainement* » et reste **invariable** (Ex. 4).

• Vingt est un **déterminant numéral**.
Il équivaut au chiffre 20.
Il accompagne un nom commun féminin ou masculin pluriel.
(Voir I – Déterminant numéral, p. 14)

VOIR – VOIRE

1. *Le patron demanda à **voir** les chiffres de la semaine.*
2. *Il annonça que les résultats étaient satisfaisants, **voire** brillants.*

• VOIR est un verbe à l'infinitif.
Il se conjugue donc et peut être remplacé par « *regarder* », « *observer* ».

• VOIRE est un **adverbe**.
Il est **invariable**.
On peut le supprimer.
Il renforce une idée et équivaut souvent à « *même* ».
Dans l'exemple 2, on pourrait dire : *Il annonça que les résultats étaient satisfaisants, <u>même</u> brillants.*

596

Composition PCA – 44400 Rezé
Achevé d'imprimer en France (Ligugé) par Aubin
en novembre 2007 pour le compte de E.J.L.
87, quai Panhard-et-Levassor, 75013 Paris
EAN 9782290332184
Dépôt légal novembre 2007
1er dépôt légal dans la collection : juin 2003
Diffusion France et étranger : Flammarion